2~11세

아이가 있는 집에

딱 좋은 가족밥상

레시피팩토리

이유식 끝난 아이의 밥상을 고민하는 엄마들에게

저의 첫 번째 책 〈아기가 잘 먹는 이유식은 따로 있다〉가 나온 것이 딱 2년 전이에요. 많은 분들에게 '그 책 덕분에 이유식을 잘 먹였다' 라는 말씀을 들을 때마다 참 기뻤습니다. 그런데 이유식이 끝날 무렵, 앞으로 아이들 밥을 어떻게 해먹여야 할지 몰라 힘들어하는 분들이 많으시더라고요. 그래서 대단한 비법은 아니지만 이유식 이후, 아이가 크면 클수록 온 가족 밥상이 걱정되는 많은 엄마들에게 저의 비법을 나눠 드리고 싶었습니다.

이 책은 집에서 가족밥상을 직접 준비하고 있는 엄마의 입장에서 쓴 책입니다. '어떻게 하면 내가 덜 힘들면서 온 가족이 잘 먹을 수 있을까?' 아이 밥상도 소홀히 하고 싶지 않고 어른 밥도 잘 챙겨 먹고 싶은데, 아이 밥과 어른 밥을 매끼 따로 준비한다는 것은 체력적으로 너무 힘든 일이에요. 그렇다고 아이 반찬에 신경 쓰다보면 어른 반찬이 부실해지고, 어른 반찬에 신경 쓰다보면 아이 반찬이 부실해지거나 그게 아니면 어른들이 먹는 자극적인 음식을 일찍부터 아이와 같이 먹게 되기도 하더라고요. 그래서 아이용과 어른용 식사를 각각 따로 준비하는 것이 아니라, 한 가지 재료로 양념만 달리해 아이 반찬과 어른 반찬을 동시에 만들거나 한번에 요리해서 아이와 어른 모두 맛있게 먹을 수 있는, 저희 가족이 평소에 먹고 있는 밥상을 담아봤어요.

제 책의 레시피는 매일 해먹어야 하는 음식들이기 때문에 어떤 메뉴든 만들기 쉽습니다. 양념이 복잡하지 않아서 재료 본연의 맛에 충실하고, 마음 먹고 만드는 몇 가지 요리를 제외하고는 조리법도 간단해요. 화학조미료나 인스턴트 음식을 활용하지 않아도 맛있는 식사와 간식 만들기가 가능하답니다. 그리고 또 하나, 매일매일 매끼 음식을 만드는 건 너무 힘든 일이잖아요. 그래서 한번에 넉넉하게 만들어서 냉장고나 냉동실에 넣어두고 한동안 밥 걱정을 할 필요가 없는 메뉴들과 보관법도 담아두었어요.

이유식이 아이가 혼자 먹는 밥상이라면 그 이후에는 온 가족이 함께 먹는 밥상이 시작됩니다. 같은 밥상에서 아이와 같은 음식을 먹어야 한다는 생각을 한다면, 부모도 아이를 생각해 몸에 좋은

음식을 먹으면서 편식하지 않으려는 노력도 할테지요. 그런 식탁을 받는 아이는 좋은 식습관을 가진 어른으로 자랄 거라고 믿습니다.

저는 아이에게 음식에 대한 추억들을 많이 만들어 주려는 노력도 중요하다고 생각합니다. 저 역시 어린 시절을 가득 채우던 엄마와 음식에 대한 추억들이 참 많습니다. 어릴 적 저희 집 냉동실에는 엄마표 돈가스부터 각종 견과류, 고기와 생선이 넉넉하게 들어 있어서 엄마에게 말만 하면 다 만들어 주셨지요. 그 중에서도 엄마와 함께 모양 쿠키를 신나게 만들거나 찜통에 스폰지 케이크를 구워주셔서 제가 좋아하는 과자들로 장식했던 즐거운 기억들이 많이 떠올라요. 이렇게 음식에 대한 추억이 오래 남다 보니, 제 아이도 어른이 되었을 때 가족이 함께 먹었던 음식들과 함께 엄마가 생각났으면 하는 바램이 큽니다.
엄마도 사람인지라 가끔 밥하기 싫은 날도 있고 몸이 힘들면 짜증도 나잖아요. 그럴 때는 저희 친정엄마가 항상 하시는 말씀이 있어요. "음식도 즐거운 마음으로 행복하게 만들어야 맛있어지고, 그 좋은 기운이 먹는 사람에게 간다. 기분 좋게 만들어야 지민이도, 장서방도 좋은 음식 먹을 수 있어"라고요. 정말 너무나 맞는 말씀이지요. 이 책을 보는 많은 엄마들도 가족을 위한 마음을 담아 좀 더 즐겁게 가족밥상을 차릴 수 있었으면 좋겠습니다.

이번에 책을 만들면서 많은 분들에게 폐를 끼쳤습니다. 엄마가 책 쓰는 동안 외로웠을 아들과 아이 보느라 힘들었을 남편, 그리고 촬영이 진행된 한달여 동안 아무 조건 없이 저를 위하는 마음 하나로 아이를 돌봐주었던, 말 안 해도 알 동네친구들, 사랑하는 엄마 아빠에게 감사의 뜻을 전합니다. 마지막으로 언제나 믿어주고 아낌없는 지원을 해준 요리책 전문 출판사 레시피팩토리 여러분들께도 진심으로 감사드립니다.

2012년 3월, 마더스고양이 김정미

H 아이가 매운맛을 연습하기에
좋은 레시피
D 어른용, 아이용 양념만 달리해
완성하는 레시피
F 넉넉히 만들어 냉동 보관이
가능한 레시피

basic guide

008 우리 아이 식습관, 연령별로 챙겨야할 것들
010 아이 밥상, 어른 밥상을 함께 차리는 지혜
011 이 책을 따라하기 전에 꼭 읽어보세요!
012 안전한 가족밥상을 위해 친환경으로 장보기
014 건강한 가족밥상을 위해 재료 철저히 고르고 손질하기
016 맛있는 가족밥상을 위해 정확하게 계량하기
018 마더스고양이가 추천하는 재료 · 도구

chapter 01

아이와 함께 먹기 좋은 반찬

022 콩나물무침 · 오이무침 **H** **D**
024 애호박볶음 · 감자채볶음
026 무나물
028 시금치나물 **D**
030 멸치볶음 · 김치볶음 **H**
032 깻잎찜
034 야채참치 **H**
036 우엉조림
038 쇠고기장조림
040 2가지 메추리알조림
042 콩자반
044 두부구이 · 두부조림 **H** **D**
046 쇠고기볶음 · 쇠고기 고추장볶음 **D** **F**
048 애호박전
050 미나리전
052 애느타리버섯전
054 호두 두부스테이크
056 동그랑땡 **F**
058 배추전
060 쇠고기육전 · 쇠고기찹쌀전
063 배추김치 · 백김치 **H**
066 깍두기 **H**
068 장아찌 3종(마늘종, 양파, 깻잎)

chapter 02

아이와 함께 먹기 좋은 국물요리

072 콩나물국 · 쇠고기미역국
074 된장국
076 건새우배춧국
078 황태국
080 오징어국
082 조개국
084 굴국
086 콩비지찌개 **H**
088 달걀탕
090 쇠고기무국 · 쇠고기탕국
093 사골곰국 **H** **F**
096 갈비탕 **F**

chapter 03
아이와 함께 먹기 좋은
일품요리

100 불고기 Ⓕ
102 닭봉찜닭
104 닭갈비 Ⓗ Ⓓ
106 닭안심 머스터드구이
108 닭날개 양념구이 Ⓗ
110 닭안심 핑거치킨
112 닭강정 Ⓗ
114 폭찹
116 돼지고기 간장구이
118 돼지고기수육
120 돼지고기 채소볶음
122 돼지고기 과일탕수육
125 고등어구이 · 갈치구이
128 카레삼치구이
130 갈치조림 Ⓗ
132 고등어 김치조림 Ⓗ
134 오징어조림
136 새우마요네즈
138 깐쇼새우
140 새우케첩볶음
142 가리비찜 · 전복볶음

chapter 04
아이와 함께 먹기 좋은
한 그릇 요리

146 무밥
148 비빔밥
150 돼지불고기덮밥
152 쇠고기볶음덮밥 · 쇠고기채소덮밥
154 오므라이스
156 달걀볶음밥
158 카레 Ⓕ
160 가츠동
162 생선가스 Ⓕ
164 돈가스 Ⓕ
166 새우가스 Ⓕ
169 닭죽
172 떡국
175 온면
178 비빔국수 Ⓗ Ⓓ
180 잔치국수 Ⓗ Ⓓ
183 간장비빔국수
186 가쓰오부시우동
188 볶음우동
190 해물잡채
193 새우크림소스파스타
196 미트소스파스타 Ⓕ
198 명란젓파스타

chapter 05

아빠 엄마 술안주로도 좋은 아이 간식

202 콘샐러드
204 호두강정 · 견과류볶음
206 고구마맛탕 · 누룽지과자
208 찹쌀부꾸미 · 경단
211 포테이토스킨
214 웨지감자
216 알감자버터구이
218 고구마김치구이
220 단호박호두전
222 닭꼬치
224 치킨너겟
226 불고기베이크
229 마늘빵 · 식빵스틱
232 벨기에와플
234 두부깨 그리시니
236 시리얼바
238 집에서 쉽게 만드는 초간단 간식

chapter 06

사먹는 것보다 더 맛있는 홈메이드 디저트

244 딸기아이스크림
     단팥 아이스바
     미숫가루 아이스바
246 우유빙수
     호두우유
248 미숫가루 견과류쉐이크
     바나나쉐이크
250 키위슬러시
     망고스무디
     딸기스무디
     블루베리스무디
252 레몬에이드
     오렌지에이드
     파인애플에이드
     블루베리에이드

chapter 07

아이기 살려주는
도시락·파티음식

256 유부초밥

259 꼬치미니김밥

262 케이크초밥

264 꼬치주먹밥

266 스크램블에그 샌드위치

268 감자샐러드 샌드위치

270 참치스프레드 샌드위치

272 단호박샐러드 샌드위치 · 고구마샐러드 샌드위치

275 햄버거스테이크 · 미니버거 **Ⓕ**

278 식빵치즈말이 · 과일컵

280 또띠아피자

282 닭봉구이 · 떡꼬치 **Ⓗ**

284 간장떡볶이

286 감자크로켓 **Ⓕ**

289 수수팥떡

292 생일케이크

295 땅콩쿠키 · 건과일쿠키 **Ⓕ**

298 모양쿠키

300 바나나 컵케이크

302 크랜베리 컵케이크

plus recipe

마더스고양이의
홈메이드 레시피

305 2가지 수제소시지 · 새우어묵 **Ⓕ**

308 **소스**
　　　토마토케첩, 마요네즈, 땅콩버터,
　　　허니 머스터드소스, 토마토소스, 데리야끼소스

310 **콤포트 · 팥소**
　　　딸기 · 블루베리 · 망고콤포트, 팥소

311 김구이 · 파래자반

312 **초간단 아침식사**
　　　프렌치토스트, 팬케이크,
　　　치즈 스크램블에그, 달걀비빔밥

314 **가족이 아플 때 먹는 액기스 · 차**
　　　오미자 · 매실액기스, 유자청,
　　　콩나물꿀차, 도라지배주스, 대추차

316 **plus info**
　　　냉동실에 저장해두는 비상식량

우리아이 식습관, 연령별로 챙겨야할 것들

이유식을 끝낸 후 엄마들은 아이의 신체 성장을 위한 균형 잡힌 식사는 물론 올바른 식습관을 형성해 다가올 2차 성장기를 준비해야 합니다. 세 살 버릇 여든까지 간다는 속담처럼 이 시기의 식습관은 앞으로 어른이 되었을 때의 식습관에도 큰 영향을 주게 되므로 아주 중요하지요. 그럼 연령별로 엄마가 신경써야 할 포인트들을 꼼꼼히 짚어보겠습니다. **이지선**(서울성모병원 영양팀장, 소아영양교육 전문)

하루에 얼마만큼 먹여야 할까?

아이에게 필요한 하루 열량을 가장 간단하게 계산하는 방법은 아래과 같습니다.

$$하루 \ 필요 \ 열량(kcal) = 1000 + 나이 \times 100$$

각 연령에 맞춰 계산한 필요 열량을 부족하지 않게 챙겨주시되 탄수화물, 단백질, 지방이 50 : 20 : 30 이 되도록 하는 것이 가장 균형있는 식사를 하는 방법입니다. 그 중에서도 단백질은 동물성 단백질이 흡수율이 높고 인체가 필요로 하는 필수 아미노산을 많이 가지고 있으니 고기나 생선을 넉넉히 먹이는 것이 좋습니다. 좀 더 구체적으로 하루 식단에 포함되면 좋은 재료와 분량을 알려드리겠습니다. 아래 표에서 나이에 맞는 식사 구성을 찾아 하루 3끼의 식사와 1~2회의 간식으로 적절히 배분해주세요. 이는 예시이므로 밥 대신 면, 감자 대신 고구마 등 영양이 비슷한 다른 재료들로 대체하셔도 됩니다.

2세	3~5세	6~8세	9~11세
밥 1/3공기(하루 3회)	밥 1/2공기(하루 3회)	밥 2/3공기(하루 3회)	밥 1공기(하루 3회)
빵 1쪽(또는 감자 1개)	빵 1쪽(또는 감자 1개)	빵 1쪽(또는 감자 1개)	빵 1쪽(또는 감자 1개)
고기 또는 생선 1토막	고기 또는 생선 1~2토막	고기 또는 생선 2토막	고기 또는 생선 3토막
달걀 1/2개	달걀 1/2개	달걀 1개	달걀 1개
두부 1/8모(또는 콩 2/3큰술)	두부 1/6모(또는 콩 1큰술)	두부 1/3모(또는 콩 2 큰술)	두부 1/2모 (또는 콩 3 큰술)
푸른 채소 1/4접시	푸른 채소 1/3접시	푸른 채소 1/2접시	푸른 채소 1접시
흰색 채소 1/4접시	흰색 채소 1/3접시	흰색 채소 1/2접시	흰색 채소 1접시
과일 1개	과일 1~2개	과일 1~2개	과일 1~2개
우유 2컵	우유 2컵	우유 2컵	우유 2컵
기름 2작은술	기름 3작은술	기름 4작은술	기름 5작은술

가족과 함께 먹는 즐거움을 알아가는 이유식 이후 5세까지

- **편식을 교정할 수 있는 때입니다** 한 연구결과에 따르면, 아이가 아무리 싫어하는 음식이라도 10~15번 정도를 접하게 되면 거부감이 없어지게 된다고 합니다. 아주 소량부터 접하게 해주세요.
- **때에 맞춰, 주변을 싹 정리한 후 밥을 먹게 하세요** 음식보다는 다른 곳에 호기심이 많이 가는 시기입니다. 그래서 밥 그릇을 들고 아이 뒤를

쫓아 다니게 되곤 하죠. 이 나이부터는 식습관을 바로 잡아주어야 하니 정해진 시간에 밥을 먹고, 집중할 수 있도록 주변에 아이가 관심을 가질 만한 물건들은 최대한 치워주세요. 또한 식사시간이 30분 이상 지체되면 과감하게 식사를 치워버리세요. 간식도 하루에 한두 번 정도 규칙적인 시간에 정해진 양을 먹이도록 하세요.

- **붉은색 고기는 꼭 챙겨주세요** 동물성 단백질은 곡류, 콩 등에 들어 있는 식물성 단백질에 비해 필수 아미노산이 풍부하고 몸에서 높은 흡수율을 보입니다. 붉은색 고기에는 철, 아연이 풍부해 아이들에게는 꼭 필요한 음식입니다.
- **부모님이 맛있게, 즐겁게 식사하는 모습을 많이 보여주세요** 이 나이의 아이들은 싫어하는 음식이라도 부모님이 맛있게 먹는 모습을 자주 본다면 점점 그 음식에 호감을 느끼게 된답니다. 아이의 거부를 존중해주면서 아빠 엄마가 먼저 모범을 보이는 것이 중요하죠. 또한 아이 눈높이에 맞춰 어떤 식품인지, 왜 먹으면 좋은지 등을 찬찬히 설명해주세요.
- **유기농이나 무가당 주스보다는 과일을 통째로 먹이세요** 아무리 좋은 주스라고 해도 과일을 통째로 섭취하는 것에 비해 영양이 떨어집니다. 가급적 통째로 먹기 좋게 썰어주시거나 갈아서 생과일주스를 만들어주세요. 또한 단 음식에 길들여지지 않도록 주스는 무가당이라 하더라도 하루 1/2~1컵으로 제한해주세요.

소아 비만을 주의해야 하는 6세부터 8세까지

- **학교에 갈 준비를 해야 하니 식사 예절을 가르치세요** 아직 집에서 돌아다니면서 식사를 하거나, 장난을 치는 경우 단체생활에 어려움을 겪을 수 있으니 정해진 시간에 정해진 장소에서 바르게 식사하는 교육을 시키고 집에서도 급식에 사용하는 도구들로 식사하게 해 연습시키는 것이 좋습니다.
- **소아 비만이 되지 않게 주의하되 무리한 체중감량은 안돼요** 소아 비만은 키 성장을 방해할 수 있고, 성인 비만으로 이어질 수 있으니 과식이나 기름진 음식을 선호하는 습관을 갖지 않게 해주세요. 또한 비만이라고 해서 무리한 감량을 시도한다면 제대로 성장할 수 없습니다. 식사량을 무조건 줄이는 것 보다는 문제가 되는 식습관을 개선해주세요. 간식이 문제라면 그 종류를 바꾸고, 횟수가 잦다면 횟수를 줄이는 방법을 택하세요. 키 성장은 계속 하되 체중이 빠르게 늘지 않도록 관리해 결과적으로는 체중 감량 효과를 보는 것이 좋습니다.
- **단 음식을 주의해야 할 시기입니다** 이 나이가 되면 아이들이 다양한 음식들을 왕성하게 먹게 됩니다. 그래서 충치도 생기기 쉽죠. 단 음식의 섭취로 인해 충치가 발생하지 않도록 신경써주세요. 무가당 주스의 섭취량도 하루 1~2컵 이내로 제한하세요.
- **우유는 하루 2~3잔 정도가 적당해요** 키 성장을 위해 우유의 섭취량을 늘리면 비만의 원인이 되기도 합니다. 하루 2~3잔의 우유면 하루 칼슘 요구량을 만족시키고 양질의 단백질도 공급받게 됩니다.

간식을 더욱 신경써야 하는 9세부터 11세까지

- **음식에 대한 기호가 뚜렷해지니 골고루 먹이도록 노력하세요** 밖에서 생활하는 시간이 길어지고 본인의 선택이 가능하다보니 치우친 식생활을 할 수 있습니다. 이럴 때일수록 균형 있는 영양소 섭취가 되도록 반찬을 골고루 챙겨주는 것이 필요해요.
- **짠맛에 현혹될 수 있으니 온 가족 모두 싱겁게 드세요** 친구들과 군것질거리를 구입해 먹는 경우가 생기면서 소금량이 많은 가공식품 섭취량이 늘어날 수 있어요. 가족 모두 가능한 싱겁게 먹고 가공식품도 줄이세요.
- **간식이 꼭 필요하니 영양분이 다른 재료들을 섞어 먹으세요** 하루 필요 열량 및 영양소의 1/4 정도를 간식으로 공급하는 것이 바람직합니다. 한 가지 음식보다 주영양소가 다른 두 가지 이상의 식품을 조합해 간식을 준비해주세요.
- **자신의 몸을 사랑하게 해주세요** 최근 마른 체형을 선호함에 따라 무리한 다이어트로 영양문제가 나타나기도 하니 균형 잡힌 식사와 적절한 운동을 통해 건강한 몸과 마음을 가질 수 있도록 해야 합니다.

아이 밥상, 어른 밥상을 함께 차리는 지혜

매번 아이 밥상, 어른 밥상 따로 차리기 번거로우셨지요? 이제는 아빠, 엄마 음식 만들면서 아이 음식도 함께 만들어보세요. 어른용, 아이용에 맞게 재료와 양념을 달리하면서 한번에 맛있게 요리할 수 있고, 조리시간도 단축할 수 있답니다. 가족밥상을 어떻게 차리면 좋을지, 궁금한 엄마들을 위해 마더스고양이가 아이 밥상, 어른 밥상 함께 차리는 노하우를 소개합니다.

❶ **같은 재료로 크기만 다르게 썰어주세요** 어른용은 한입 크기로 큼직하게, 아이용은 소화가 잘 되고 씹기 편하도록 좀 더 작은 크기로 써세요. 특히 육류나 오징어 같은 해산물은 씹는 질감이 질겨 아이들이 거부할 수 있으니, 채소보다 좀 더 작게 썰어 조리하세요. 나물이나 반찬, 국 등은 어른 크기에 맞춰 조리한 후 가위로 잘게 잘라주세요.

❷ **매운맛이나 신맛을 줄이고 단맛은 알맞게 조절하세요** 어른용보다 아이용 반찬에 단맛이 좀 더 들어가야 하는 경우가 있어요. 적당한 단맛은 매운맛이나 신맛을 감소시키는 역할을 하기 때문이죠. 아이가 단맛에 길들여질까봐 우려하는 엄마들이 많은데, 요리에 따라 단맛을 알맞게 조절하세요. 그리고 단맛을 낼 때는 설탕 대신 아가베시럽 등의 천연 재료를 사용하는 것이 더 좋습니다.

❸ **전체적인 간을 싱겁게 하고 어른이 먹을 때는 추가로 간을 하세요** 반찬을 짜지 않게 조리해야만 아이들이 밥보다 반찬을 더 많이, 골고루 먹을 수 있답니다. 한 가지 요리를 만들어서 어른과 아이가 나눠 먹는 경우에는 간을 싱겁게 해서 아이가 먹을 만큼 덜어낸 후 어른들의 입맛에 맞게 추가로 간을 맞추세요.

❹ **매운맛의 요리에는 아이와 어른 입맛에 맞게 양념을 다르게 하세요** 매운맛이 필요한 요리는 아이용, 어른용 양념을 따로 만들어 조리하면 아이 어른 모두에게 만족스러운 음식을 만들 수 있어요. 하지만 이 과정이 번거롭다면 아이와 함께 먹을 요리를 만든 후 아이용은 덜어내고 남은 분량에 어른들의 기호에 따라 고춧가루나 고추 등의 매운맛을 추가로 넣어도 됩니다.

❺ **아이가 매운맛을 알아가도록 조금씩 양념의 양을 늘려가세요** 아이에게 매운맛을 접하게 할 때는 아주 약한 매운맛부터 시작해야 해요. 그러면서 점차 고춧가루나 고추장의 양을 조금씩 늘려가며 반찬을 만들어주면 매운맛에 익숙해질 수 있습니다. 김치나 깍두기를 담글 때도 빨강 파프리카를 양념으로 사용해 붉은색에 익숙해지도록 한 후 고춧가루의 양을 늘려가며 매운맛에 익숙해지게 하세요.

❻ **편식하는 아이에게는 다양한 조리법을 사용해 골고루 먹이세요** 처음에는 아이가 싫어하는 재료를 눈에 띄지 않도록 작게 다져서 좋아하는 재료와 섞어 먹여보세요. 또한 전이나 튀김 등 아이가 좋아하는 방법으로 조리해서 먹이는 것도 효과적이죠. 한두 번 시도한 후 먹지 않는다고 포기하지 말고, 아이가 그 음식에 익숙해질 때까지 꾸준히 노력하세요.

❼ **건강한 가족밥상을 차리기 위해서는 부모의 역할이 중요합니다** 이유식이 아이 혼자 먹는 밥상의 성격이 강했다면 유아식과 어린이식은 아빠, 엄마와 함께 먹는 가족밥상이에요. 그렇기 때문에 부모의 잘못된 식습관도 큰 문제가 될 수 있습니다. 먼저 아빠, 엄마가 음식을 골고루 맛있고 즐겁게 먹는 모습을 보여주는 것이 아주 중요하답니다.

❽ **아이의 눈높이에서 대화를 나누며 온 가족이 함께 식사하세요** 아이가 한식탁에서 밥을 먹으면서도 대화에서 배제되는 경우가 많습니다. 아이가 어리다면 중간중간 밥을 잘 먹을 수 있도록 도와주면서 아이와도 이야기를 나누세요.

❾ **아이에게 엄마와 함께 요리하는 추억을 남겨주세요** 아이도 가족의 일원으로 상 차리기부터 함께 할 수 있도록 역할을 주세요. 수저나 포크 챙기기, 물 떠오기, 반찬 나르기, 밥그릇 치우기 등 쉽게 할 수 있는 것이 많습니다. 간식을 만들 때도 엄마와 함께 만들면 아이에게 소중한 추억을 남겨줄 수 있어요.

이 책을 따라하기 전에 꼭 읽어보세요!

모든 메뉴는 아이와 어른이 두루두루 좋아하는 것들로 골랐습니다. 또한 기본 레시피는 써는 크기부터 맛까지
2~11세 아이들을 기준으로 했지만, 아이가 이유식을 막 끝냈을 만큼 어리다면 크기를 좀 더 작게 잘라주시고
자극적인 양념은 생략하세요. 일부 메뉴는 어른들을 위한 별도 양념이나 추가로 맛을 더하는 방법을 제안했으니
온 가족이 좋아하는 건강하고 맛있는 가족밥상을 준비하세요.

❶ 요리에 대한 에피소드 & 생생한 영양 정보
마더스고양이가 아이와 함께 먹는 가족밥상을 차리면서
겪은 에피소드와 아이에게 편식 없이 영양이 풍부한
재료들을 고루 먹일 수 있는 노하우를 알려드립니다.

❷ 보기 쉬운 과정컷
만드는 과정을 한눈에 알아볼 수 있게 사진으로 자세히
실었습니다. 재료의 크기나 모양, 만드는 과정에서의
요리 상태를 확인할 수 있어 초보 주부도 쉽게 요리할 수
있습니다.

❸ 재료 분량은 물론 조리시간, 오븐온도 등 표기
- 재료의 양은 아빠, 엄마, 아이로 이루어진 3~4인 가족을
  기준으로 한끼 먹을 분량입니다. 저장해두고 먹는 반찬이나
  국, 일부 요리는 한번에 넉넉히 만들어 두고 먹을 수 있도록
  분량을 잡았습니다.
- 각 재료마다 정확한 중량(g)과 함께 손쉽게 분량을 잴 수
  있도록 계량스푼 분량과 손대중량을 함께 표기했습니다.
- 조리시간에는 밑손질 시간이나 발효시간까지 정확히
  표기했습니다.
- 냉동 보관하며 오래 먹을 수 있는 메뉴에는 냉동 보관법,
  오븐을 사용한 메뉴에는 온도를 함께 표기했습니다.

❹ 아빠, 엄마도 맛있게 먹을 수 있는 방법
모든 요리는 온 가족이 맛있게 먹을 수 있는 것이지만
그 중에서 매콤하게 먹으면 좋은 요리들은 어른용 양념을
별도로 소개했습니다. 또한 어른 입맛에 맞춰 간을 더하거나
함께 곁들이면 좋은 재료들을 표기했습니다.

❺ 요리를 만만하게 해주는 알짜 정보
각 요리에 대한 팁과 마더스고양이의 노하우를 담았습니다.
재료 선택 및 보관법, 밑손질 방법, 남은 재료 활용법, 만들기
포인트 등 요리할 때 꼭 필요한 정보들이니 요리하기 전에
꼭 확인하세요.

안전한 가족밥상을 위해 친환경으로 장보기

"친환경 식품만 먹어야 할까요?", "어떻게 그렇게 다 친환경 식품만 챙겨서 먹여요?", "친환경
식품은 너무 비싸요" 등 평소 이런 이야기를 많이 듣습니다. 때로는 "그렇게 별나게 키울 게 뭐가
있어?", "친환경이라는 말을 어떻게 믿어?" 라는 이들도 있습니다. 그럼에도 불구하고 친환경식품을
구입하는 이유는 일반 식품에 비해 영양가가 훨씬 높다고 할 수는 없지만, 조금이라도 믿고 먹을 수
있는 것은 분명한 사실이기 때문이지요. 저는 친환경 생활이란 사람들의 마음에서부터 시작된다고
생각합니다. 관심이 있는 것과 없는 것은 행동을 하느냐, 하지 않느냐의 차이를 낳기 때문이지요.
아무도 친환경에 관심이 없었던 때 친환경에 관심을 가졌던 사람들이 있었기에 친환경 농산물이
꾸준히 늘어났고, 까다로운 소비자들이 있었기에 가공식품도 '전성분 표시'가 의무화 되어
기업들도 상술에 의한 눈가림만 하는 것이 아니라 좋은 성분의 제품을 만들기 위해 더 많은 연구를
하고 있습니다. 친환경생활에 가장 민감할 수 밖에 없는 우리 엄마들이 조금이라도 더 관심을
가진다면 우리 아이들의 세상이 조금이라도 덜 오염될 수 있지 않을까요?

친환경 장보기 요령 1 성분표기와 원산지를 꼼꼼히 살펴보세요

성분표기를 볼 때 어려운 용어들이 복잡하게 적혀 있다면 식품첨가물이 많이 들어
있다는 이야기예요. 아는 단어들로 이해하기 쉽고 간단하게 적혀 있는 제품이 좋아요.
우리 땅에서 난 제품이라고 생각해 무심코 구입한 것이 알고 보면 수입제품인 경우도
많답니다. 그래서 제품을 구입하기 전에 성분표시와 원산지를 꼭 확인해야 해요.

친환경 장보기 요령 2 농식품 국가인증을 확인하세요

- **친환경 농축산물 인증마크**
  친환경 유기농인증 화학비료와 농약을 사용하지 않고 재배한 농산물과
  유기사료를 먹이고 항생제와 항균제를 사용하지 않고 사육한 축산물에
  인증마크를 부여합니다.

  친환경 무농약인증 화학비료와 농약을 사용하지 않거나 사용을 최소화한
  농산물로, 농업 생태계와 환경을 유지·보전하면서 생산된 제품에
  인증마크를 부여합니다.

  친환경 무항생제인증 항생제, 항균제 등이 첨가되지 않은 일반사료를
  급여하며 인증기준을 지켜 생산한 축산물에 인증마크를 부여합니다.

- **유기가공식품 인증제표시**
  화학비료와 농약을 사용하지 않고 재배한 유기원료(유기농산물,
  유기축산물)를 유기적인 방법으로 가공한 식품에 부여합니다.

- **친환경수산물인증**
  친환경수산업을 영위하는 과정에서 생산된 수산물이나 이를 원료로 하여
  위생적으로 가공한 식품에 부여하는 마크예요. 친환경수산업은 인체에
  유해한 화학적 합성물질을 사용하지 않거나 동물용 의약품 등의 사용을
  최소화해 안전한 수산물을 생산하는 수산업을 말합니다.

기타 인증

- **농산물 우수관리인증제도(GAP)**
  생산 단계에서는 토지, 용수, 잔류, 농약, 중금속 등을 분석하여 재배하며
  수확 후 포장 단계에서는 외부에서 들어올 수 있는 위해요소를 관리해
  소비자에게 안전한 농산물을 공급하는 제도입니다.

- **위해요소중점관리인증제도(HACCP)**
  가축의 사육, 도축, 가공, 포장, 유통의 모든 과정에서 위해요소를
  방지·제거하기 위해 처리 단계에 중요관리점을 설정하여 체계적으로
  관리하는 제도입니다.

- **지리적표시제도**
  제품의 명성과 품질이 특정 지역의 자연환경에 기인하였음을 인증하는
  제도예요. 국내외 농산물(축산물, 임산물 포함)과 수산물 및 가공품의
  지적 재산권이 인정되어 보호받고 있습니다.

- **전통식품 품질인증제**
  국내산 농수산물을 주원료로 하여 제조·가공하여 우리 고유의 맛, 향,
  색을 내는 우수한 전통식품에 대하여 정부가 품질을 보증하는 제도입니다.

- **품질인증제**
  생산자 규격 또는 시방에 적합한 품질을 갖는 제품 또는 서비스를 공급할 수
  있는 것을 중립적인 기관이 증명하는 제도입니다.

- **농산물이력추적관리제**
  농산물의 생산부터 판매까지 각 단계의 정보를 기록·관리하여
  안전성에 문제가 발생하였을 경우 해당 농산물의 이력을 역추적해
  원인 규명과 필요한 조치를 취하는 제도입니다.

- **수산물이력제**
  수산물의 생산·가공·유통에 관한 모든 과정을 기록·관리하여
  소비자에게 공개하는 제도예요. 수산물을 안심하고 선택할 수 있도록
  도와줍니다.

- **친환경 인증마크를 확인할 수 있는 곳**
  그린밥상 www.greenbobsang.co.kr
  쇠고기이력제 www.mtrace.go.kr
  수산물이력제 www.fishtrace.go.kr
  농산물 우수관리인증제도(GAP) 정보 서비스 www.gap.go.kr
- **친환경 농산물을 살 수 있는 곳**
  무공이네 www.mugonghae.com / 초록마을 www.choroki.com
  한살림 www.hansalim.or.kr / 올가 www.orga.co.kr
  아이쿱생협 www.icoop.or.kr / 이팜 www.efarm.co.kr

건강한 가족밥상을 위해
재료 철저히 고르고 손질하기

아이 먹을거리에 대한 엄마들의 고민은 끝없는 숙제지요. 나름대로 인증마크와 성분을 꼼꼼하게 체크해본다고는 하지만 좀 더 구체적인 정보와 지식이 없어 친환경 먹거리를 올바르게 사용하지 못하는 경우도 있습니다. 건강한 가족밥상을 위해 알아두어야 할 친환경 식품 선택법과 손질법을 소개합니다.

건강한 재료 손질법 1 　 채소와 과일

채소과 과일은 되도록 제철 재료를 구입해 먹는 것이 가장 좋아요. 껍질째 먹는 수입과일은 되도록 구입하지 마세요. 수입 과정에서 제품이 상하지 않도록 약품처리를 하는 경우가 많아 껍질을 두껍게 깎아서 먹는 것이 좋습니다. 껍질째 먹는 과일이나 생으로 먹는 채소, 잎을 먹는 채소의 경우 되도록이면 국내 유기농산물을 구입하는 것이 좋습니다.

- **바나나** 대부분 수입제품으로 잔류 농약이 껍질과 밑동에 집중되어 있어 꼭지 부분을 1cm 이상 잘라내고 드세요.
- **사과, 배, 감** 사과는 껍질째 먹는 것이 몸에 좋지만 잔류 농약이 남아있을 수 있으니 베이킹소다(또는 소금, 식초)로 껍질을 닦고 흐르는 물에 오랫동안 씻습니다. 친환경 제품이 아닌 경우에는 껍질은 벗기고 드세요.
- **귤, 오렌지, 레몬** 껍질을 벗겨먹는 과일이기 때문에 잔류 농약에 비교적 안전합니다. 하지만 껍질에 잔류 농약이 집중되어 있고 광을 내기 위해 왁스 처리를 하는 경우가 있어 베이킹소다(또는 소금, 식초)로 깨끗이 씻은 후 껍질을 벗겨 먹는 것이 좋습니다. 귤피차나 마멀레이드 레몬차 등을 만들 때는 되도록 친환경 제품을 사용하세요.
- **복숭아, 포도** 복숭아는 해충 피해가 많은 과일이기 때문에 농약을 많이 사용합니다. 포도 역시 껍질에 농약이 많이 남아있으므로 되도록 아이에게는 친환경 제품을 먹이세요. 포도와 복숭아는 흐르는 물로 씻어 베이킹소다를 푼 물에 5분 이상 담근 후 흐르는 물로 다시 한 번 껍질 표면을 살살 문질러 씻습니다.
- **딸기** 통째로 먹는 과일이기 때문에 잔류 농약 걱정이 가장 많이 되는 과일입니다. 아이에게는 되도록 친환경 제품을 먹이고, 그렇지 않은 경우에는 물을 가득 채운 볼에 딸기를 넣고 물을 틀어 흐르는 물로 5분 이상 씻으세요.
- **배추, 양배추** 겉잎은 농약을 치기 때문에 1~2장은 뜯어내고 나머지는 깨끗이 씻어 사용하세요.
- **무, 당근** 무는 잔류 농약이나 살충제 성분이 남아있을 수 있으니 껍질을 두껍게 벗겨 사용합니다. 당근은 껍질 바로 밑에 영양 성분이 많으므로 껍질을 얇게 벗기고, 줄기 아래 몸통의 초록색 부분에는 잔류 농약이 많이 남아있을 수 있으니 1~2cm 이상 잘라내고 사용하세요.
- **파, 양파** 농약을 많이 치는 채소이기 때문에 껍질 부분을 두껍게 벗겨내고 사용하세요. 아이에게 먹일 경우 친환경 제품을 사용하세요.
- **말린 과일, 견과류** 말린 과일은 방부제 처리의 확률이 높아 아이에게 먹일 때는 친환경 제품을 먹이는 것이 좋아요. 제과제빵이나 음식에 일반 제품을 사용할 경우 흐르는 물에 씻어 사용하세요.

- **어패류** 안전한 단백질 공급원이지만 부패하기 쉬워 신선한 제품을 고르는 것이
  중요해요. 생선의 경우 눈알이 선명하고 피부에 탄력이 있으며, 비늘이 살아있는
  제품으로 고르세요. 아가미는 붉고 선명한 것이 좋습니다.
- **가공식품** 대부분의 수산물 가공식품에는 식품첨가물이 많이 들어 있어 끓는 물에
  살짝 데치거나 흐르는 물로 씻은 후 조리하세요. 김은 염산처리를 하지 않은 것으로
  구입하세요. 들기름을 사용해서 구운 경우 빨리 산화돼 참기름을 사용했을 때보다
  빨리 먹어야 합니다.

- **육류 및 알류** 지방을 제거하고 조리하는 것이 좋습니다. 물에 끓여서 사용할 경우
  물 위에 뜨는 불순물 속에 유해물질이 녹아 있으니 바로 제거하면서 조리하세요.
  육류에는 다량의 항생제나 성장촉진제 등의 약물을 사용하는 경우가 많아 잔여약품을
  사람들이 먹을 수 밖에 없습니다. 그 위험성은 체내에 축적되었을 때 발생한다고 합니다.
  다행히 요즘은 유기농이나 무항생제축산물, 무항생제 달걀, 유기농 우유 등을 비교적
  쉽게 구할 수 있으니 아이에게는 친환경 제품으로 구입해 먹이는 것이 좋습니다.
  육류를 고를 때는 쇠고기는 붉은 선홍색을 띄는 것, 닭고기와 돼지고기는 핑크빛이 도는
  것을 고르세요.
- **유제품** 대부분의 액상 요구르트나 떠먹는 요구르트 등에는 단맛을 내기 위한 각종
  설탕이나 과당 등이 많이 들어 있어 성분 표시와 함량을 확인하고 구입하는 것이
  좋습니다. 치즈의 경우에도 가공치즈이기 때문에 각종 첨가물과 색소, 염분의 함량이
  높은 제품이 많습니다. 제품에 따라 원류 함량이 적은 제품도 있으니 반드시 성분 표시를
  확인하세요. 버터에도 색소나 착향료 등이 들어 있는 경우가 많으니 무첨가 버터를
  구입하고, 생크림도 100% 원유로 된 제품을 구입하세요. 휘핑크림이 편하다고 생크림
  대신 사는 분들이 있는데 식품첨가물이 많은 편이니 가급적 생크림을 사세요.

- **식품첨가물과 환경호르몬, 바로 아는 것이 중요합니다.**
  우리는 식품첨가물의 홍수 속에 살고 있어요. 그만큼 식품첨가물의 유해성에 관해 무뎌지기도 했지요.
  하지만 최소한, 내가 무엇을 먹고 있는가, 내 아이에게 무엇을 먹이고 있는가 정도는 체크해봐야 합니다.
  이를테면, 무설탕사탕이나 무설탕음료의 경우 설탕이 들어 있는 것이 차라리 나을 수 있습니다.
  설탕 대신 몸에 더 나쁜 액상과당과 합성감미료, 합성향 등을 넣었기 때문이지요. 그래서 '무엇이 없다'라는
  문구보다 '무엇이 들어 있는가'에 더 주목해야 합니다.
  그 뿐만 아니라 아이들은 아무렇지도 않게 환경호르몬에 노출되어 있습니다. 이것들이 쌓여 아토피가 생기고,
  생리통이 심해지고, 나중에는 불임까지도 올 수 있어요. 하지만 눈에 보이지 않기 때문에 무심한 경우가
  참 많습니다. 플라스틱제품의 사용이 좋지 않다는 것은 이미 상식이 되었지만 집안 곳곳에는 아직도
  플라스틱제품이 많이 남아있습니다. 그 중에서 가장 먼저 버려야 할 것이라면 플라스틱 국자와 뒤지개, 숟가락,
  젓가락입니다. 국자는 스테인레스제품을, 뒤지개도 안전한 나무나 실리콘, 스테인레스제품을 사용하세요.
  반찬용기도 아무리 안전하다고 해도 완벽하게 안전한 플라스틱은 없습니다. 유리, 도자기나 스테인레스로 된
  제품을 사용하세요. 스티로폼 통에 담겨 있는 컵라면은 식품첨가물 덩어리와 환경호르몬을 동시에 섭취하는
  지름길이니, 특히 아이에게는 절대 먹이지 마세요.

맛있는 가족밥상을 위해 정확하게 계량하기

요리 왕초보를 위한 필수 기본 가이드. 기본 재료와 양념을 정확히 계량해야 레시피의 맛을 똑같이 낼 수 있기 때문에 레시피를 보고 따라하기 전 궁금할 수 있는 기초 계량법을 한데 모아 꼼꼼하게 알려드립니다.

계량도구 사용법

간장, 식초, 맛술 등의 액체류
계량컵으로 계량할 때는 편편한 곳에 가장자리가 넘치지 않을 정도로 담아 계량하세요. 계량스푼도 가장자리가 넘치지 않을 정도로 담아 계량하세요.

된장, 고추장 등 장류
가득 담은 뒤 윗부분을 편편하게 깎아 계량하세요.

설탕, 소금 등의 가루류
가득 담은 후 사진처럼 윗부분을 편편하게 깎아 계량하세요. 밀가루류는 체에 내린 후 계량하되, 꾹꾹 누르지 말고 가볍게 담아야 합니다.

콩, 견과류 등 알갱이류
가득 꾹꾹 눌러 담은 후 위를 깎아 계량하세요.
★ 동일한 1컵이라도 밀가루는 더 가볍고 고추장은 더 무거우니 부피와 무게를 동일하게 계산해서는 안됩니다.

계량도구가 없을 때 계량하기

계량스푼 1 큰술 = 15ml
밥숟가락 1 큰술 = 10~12ml
계량스푼 1 큰술 = 밥숟가락 1과 1/3큰술

계량컵은 200ml
종이컵도 거의 비슷하므로 계량컵 대신 종이컵을 사용해도 됩니다.

1컵 200ml
1작은술 5ml
1큰술 15ml

레시피 분량 조절하기

볶음, 조림, 무침 등을 할 때는 양념을, 국을 끓일 때는 물의 양을 조절하는데 특히 신경써야 합니다. 양이 늘거나 줄어도 그릇에 묻는 양념 분량과 증발되는 물의 양이 같으므로 늘릴 때는 90%만, 줄일 때는 40%만 조정하세요.

2인분 … 4인분
양념과 물의 양을 90%만 늘리세요.

4인분 … 2인분
양념과 물의 양을 40%만 줄이세요.

손대중량 한 줌, 한 컵 등으로 표시되는 재료

당면 1줌(100g)

스파게티 1줌(70g)

소면 1줌(70g)

대파(흰 부분) 15cm

애느타리버섯 1줌(50g)

콩나물 · 숙주 1줌(50g)

포항초 시금치 1줌(50g)

마른 실미역 1줌(4g)

마른 두절새우 1컵(30g)

쥐눈이콩 1컵(150g)

잔멸치 1컵(50g)

황태채 1컵(25g)

· 남기 쉬운 재료를 사용한 레시피

생크림 : 새우크림소스파스타(193쪽), 명란젓파스타(198쪽), 웨지감자(214쪽), 벨기에와플(232쪽),
딸기아이스크림(244쪽), 생일케이크(292쪽)

배추, 양배추 : 배추전(58쪽), 김치(63쪽), 건새우배춧국(76쪽), 닭갈비(104쪽), 볶음우동(188쪽), 간장떡볶이(284쪽)

무 : 무나물(26쪽), 김치(63쪽), 깍두기(66쪽), 오징어국(80쪽), 조개국(82쪽), 굴국(84쪽), 쇠고기무국과 탕국(90쪽),
갈비탕(96쪽), 무밥(146쪽), 떡국(172쪽), 온면(175쪽)

부추, 미나리, 쪽파 : 콩나물무침(22쪽), 미나리전(50쪽), 애느타리버섯전(52쪽), 김치(63쪽), 깍두기(66쪽),
돼지고기 채소볶음(120쪽), 무밥(146쪽), 가츠동(160쪽), 볶음우동(188쪽), 해물잡채(190쪽), 명란젓파스타(198쪽)

버섯 : 애느타리버섯전(52쪽), 호두 두부스테이크(54쪽), 불고기(100쪽), 가츠동(160쪽), 간장비빔국수(183쪽),
가쓰오부시우동(186쪽), 해물잡채(190쪽), 새우크림소스파스타(193쪽), 미트소스파스타(196쪽),
스크램블에그 샌드위치(266쪽), 햄버거스테이크(275쪽), 또띠아피자(280쪽), 감자크로켓(286쪽)

파프리카 : 배추김치(63쪽), 깍두기(66쪽), 폭찹(114쪽), 돼지고기 채소볶음(120쪽), 돼지고기 과일탕수육(122쪽),
깐쇼새우(138쪽), 새우케첩볶음(140쪽), 쇠고기 채소덮밥(152쪽), 미트소스파스타(196쪽), 콘샐러드(202쪽),
포테이토스킨(211쪽), 고구마김치구이(218쪽), 불고기베이크(226쪽), 참치스프레드 샌드위치(270쪽),
햄버거스테이크(275쪽), 또띠아피자(280쪽), 간장떡볶이(284쪽), 감자크로켓(286쪽)

basic guide 6

마더스고양이가 추천하는 재료·도구

한번 장만해두면 요리가 건강해지고 쉬워지는 양념과 도구들을 소개합니다. 양념은 고기, 생선, 채소, 과일 등
식재료의 가장 기본적인 맛을 내면서 건강한 음식을 만드는 첫 단추예요. 그래서 음식을 만들 때 매일같이 사용하는
설탕, 소금, 기름 등의 기본적인 재료는 더욱 좋은 것을 써야 합니다. 조리도구 역시 조리시간을 줄여줄 뿐 아니라
요리를 맛있고 멋있게 만들어줘 즐겁게 조리할 수 있도록 도와준답니다.

 단맛

아가베시럽

단맛을 위해 제가 주로 사용하는 제품은
아가베시럽이에요. 선인장에서 추출한
천연감미료이기 때문에 음식에 감칠맛을
더해주지요. 그 중에서도 네쿠틀리사의
유기농 아가베시럽을 선호하는데,
일반 설탕보다 당도는 높지만 혈당 상승
지수가 낮고 미네랄이 풍부해 당뇨가
있는 사람이나 아이들에게 좋습니다.
찬물에도 쉽게 잘 녹아 주스를 만들 때
사용하기에도 좋아요.

설탕

평소 설탕 대신 아가베시럽을
사용하는 편이지만, 설탕을 사용해야
하는 경우에는 유기농 비정제설탕을
사용합니다. 주로 쓰는 브랜드는
착한설탕과 빌링톤 설탕이에요. 우리가
흔히 사용하는 정제설탕은 미네랄이
남아있지 않고, 정제황설탕은 카라멜
색소를 넣고 색만 낸 것이라 건강에
나쁩니다.

기름

포도씨유

콩기름이나 옥수수기름은 유전자 조작
콩이나 옥수수 등으로 만들 확률이 높아
대신 올리브나 포도씨유, 카놀라유 등을
많이 사용하지요. 구입할 때는 꼭 유리병에
들어 있는 제품을 선택하세요. 플라스틱
용기로 포장된 제품은 고온 압착방식으로
제작되어 환경호르몬의 영향을 받을 수
있거든요. 저는 향이 없고 모든 요리에
두루 사용할 수 있는 포도씨유를 선호하고,
올리브유는 발화점이 낮기 때문에 열을
가해 사용할 때는 포도씨유와 동량으로
섞어 사용합니다.

 짠맛

간장

양조간장을 구입할 때는 첨가물 표시를
반드시 확인하세요. 탈지대두나 유전자
조작 콩으로 만든 간장인지 확인해야
합니다. 그리고 산분해간장이 아니라
자연숙성간장으로 구입해야 합니다.
그 중에서도 산분해간장이 일부 섞여
있는 혼합간장 제품을 판매하는 경우도
있으니 잘 확인하고 구입하세요.

소금

요리에서 가장 중요한 것이 소금이에요.
미네랄과 무기질이 많이 함유되어 있는
천일염 등 가공하지 않은 소금을 사용하는
것이 좋아요. 가공소금인 정제염이나
맛소금에는 나트륨만 남아 있고, 맛소금은
MSG를 첨가한 조미소금이랍니다.
저는 히말라야 키즈솔트와 유럽의
게랑드 소금을 사용하는데요, 대량으로
먹는 양념이 아니기 때문에 조금
비싸더라도 좋은 제품을 사용하는
것이 건강에도 좋고, 음식의 맛도 더욱
좋아집니다.

된장

재래된장으로 된장국이나 찌개를 끓이면
음식 맛이 깔끔한 반면, 시판 된장으로
끓이면 텁텁한 맛이 납니다. 그 이유는
밀가루를 넣은 제품이 많기 때문이에요.
또 산화나 변질을 막기 위해 각종
식품첨가물과 보존제를 넣었기 때문이지요.
성분 표시를 꼼꼼히 확인한 뒤 구입하고,
재래된장 사용하거나 만들어 먹는 것이
좋습니다.

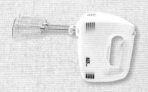

핸드믹서

수동식으로 달걀에 거품을 내거나 간단한
반죽을 할 때 사용하면 좋은 도구예요.
만드는 시간을 단축시킬 수 있는데다,
힘들여 섞지 않고 돌리면서 섞어만 주면
돼 홈베이킹할 때 유용하게 쓰입니다.
파워가 세지는 않아서 발효빵을 만들
때는 반죽기를 따로 준비하는 것이 좋고,
핸드믹서가 없을 때에는 손 거품기를
사용해도 됩니다.

채소다지기

채소를 잘게 다질 때 편리한 도구예요.
특히 아이 낳고 약해진 관절 때문에
칼질하기 힘든 분들이 사용하면
좋답니다. 마늘 다지는 것뿐 아니라
볶음밥이나 카레, 햄버거스테이크 등을
만들 때 요긴하게 쓰이지요. 전기를
연결할 필요 없이 바로 조작할 수 있고,
재료를 통 속에 넣고 손잡이만 돌리면
쉽게 잘라집니다.

고기망치

고기를 두들겨 부드럽게 만드는 데
사용하는 도구예요. 평소에 많이
사용하지는 않지만 엄마표 냉동식품을
만들 때 꼭 필요한 필수품이랍니다.
특히 스테이크나 돈가스, 치킨가스 등의
고기요리를 할 때 요긴하게 쓰여요. 한번
사두면 반영구적으로 사용할 수 있습니다.

종이 포일

종이 포일은 알류미늄 소재의 쿠킹
포일과는 달리 환경호르몬으로부터
안전합니다. 생선이나 고기를 싸서
냉동 보관하거나 팬에 음식을 조리할
때 깔면 잘 타지 않고 팬을 씻을 필요도
없어 편리하지요. 도마에 김치 등을 자를
때나 베이킹을 할 때 등 다양하게 사용할
수 있습니다. 제가 쓰는 것은 노르웨이
제품으로 종이 양면에 실리콘 코팅 처리를
해서 음식에 붙지 않고 고온에서도
안전하게 사용할 수 있답니다.

도마

도마는 채소 · 과일용과 고기 · 생선용을
분리해서 사용하면 좋아요. 도마는 세균
번식의 우려가 아주 많으므로 친환경
세제로 잘 세척하고 잔여세제가 남지 않게
헹궈주세요. 뜨거운 물을 부어서 살균하고
일주일에 한 번 정도 햇볕에 말려주는 것이
좋습니다. 제가 사용하는 도마는 에피큐리언
제품인데, 나무 도마면서 식기세척기에
사용 가능할 만큼 물에 강해요. 나무
도마이기 때문에 오래 쓰면 칼집이
생기지만 항균 효과가 뛰어나고 물때나
음식물이 끼지 않아 좋답니다.

주걱, 스패출라, 거품기

요즘에는 코팅팬을 많이 사용해
스테인레스 소재의 주걱을 사용하는 것이
적합하지 않아요. 반면, 실리콘 소재로 된
조리도구들은 볶음 요리 등에 사용하기
좋고, 재료를 알뜰하게 긁을 수도 있어
알뜰주걱이 따로 필요 없지요. 열에
강하면서 환경호르몬으로부터 안전하고
냄새가 배지 않아 위생적이기도 합니다.
저는 쿠이지프로 제품을 사용하는데,
손잡이 부분이 스테인레스로 되어 있고
볶음 주걱이나 스패출라는 분리도 가능해서
세척하기도 편답니다.

chapter 01

아이와 함께 먹기 좋은
반찬

유아식을 시작한 아이를 둔 엄마라면 한번쯤 고민하게 되는 아이 반찬.

어른 반찬처럼 간을 하자니 너무 짜고, 아이 반찬만 따로 만들자니

시간이 오래 걸려 나중에는 지치게 되지요. 그래서 이 책의 반찬 레시피는

똑같은 재료로 양념만 다르게 해 아이는 물론

온 가족이 함께 맛있게 먹을 수 있도록 만들었습니다.

반찬의 기본인 무침, 볶음, 조림, 부침에서부터 한 번의 수고로 두고두고 먹을 수 있는

저장 반찬까지 쉽고 간단하게 만들 수 있어 더욱 좋습니다.

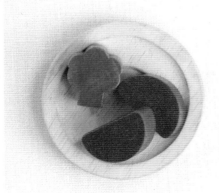

콩나물무침 · 오이무침

> 콩나물은 가격이 저렴하면서도 각종 영양소가 풍부하게 들어 있어 아이들에게 먹이기 좋은 채소예요. 오이는 찬 성질을 지녀 열감기에 걸린 아이 반찬으로 좋고, 된장찌개를 끓여서 오이무침과 함께 밥 위에 올려 비벼 먹어도 맛있습니다.

콩나물무침

오이무침 어른용

오이무침 아이용

콩나물무침

조리시간 15분
2~3인분

☐ 콩나물 150g(3줌, 손대중량 17쪽)
☐ 쪽파 10g(1줄기, 생략 가능)
☐ 다진 마늘 1/2작은술(생략 가능)
☐ 국간장 1/4작은술
☐ 참기름 1/2작은술
☐ 깨소금(또는 통깨) 1작은술

쪽파는 송송 썬다.

바닥이 넓고 두꺼운 냄비에
콩나물을 펼쳐 넣고 소금물
(물 2/3컵 + 소금 1/3작은술)을
붓는다. 뚜껑을 덮고 센 불에서
끓여 김이 차오르면 3분간
익힌다.

체에 밭쳐 찬물에 헹궈 물기를
뺀다. 쪽파, 다진 마늘, 국간장,
참기름, 깨소금을 넣고 버무린다.
★ 아이가 어리다면 먹기 좋게
가위로 잘라준다.

오이무침

조리시간 15분
2~3인분

☐ 오이 200g(1개)
☐ 소금 1/2작은술(오이 절임용)

아이용 양념
☐ 식초 1큰술
☐ 아가베시럽(또는 설탕) 1큰술
☐ 소금 1/8작은술
☐ 다진 마늘 1/4작은술(생략 가능)
☐ 국간장 1/4작은술
☐ 통깨 1/2작은술

어른용 양념
☐ 식초 1큰술
☐ 아가베시럽(또는 설탕) 1큰술
☐ 소금 1/8작은술
☐ 다진 마늘 1/4작은술
☐ 국간장 1/4작은술
☐ 통깨 1/2작은술
☐ 고춧가루 1/2작은술
☐ 고추장 1/8작은술

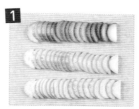

오이는 길게 반으로 갈라
0.5cm 폭으로 썬다. 2개의
볼에 반으로 나눠 담고 소금을
뿌린다.

①의 오이에 아이용, 어른용
양념을 각각 넣어 버무린다.

· **콩나물을 무칠 때는 통깨보다 깨소금을 넣어야 맛있어요.**
통깨는 그 자체로는 고소한 향이 적기 때문에
깨소금을 넣었을 때 더 진한 맛과 향을 느낄 수 있어요.
깨소금이 없다면 통깨를 손으로 부숴 넣으세요.
· **오이를 무칠 때는 손끝으로 살살 버무리세요.**
손으로 꾹꾹 눌러가며 버무리면 오이의 숨이 죽어
아삭한 맛이 떨어집니다. 껍질까지 사용한다면
무농약이나 유기농 오이를 구입하세요.

애호박볶음·감자채볶음

애호박볶음과 감자채볶음은 식감이 부드러워 아이들이 먹기 좋은
반찬이에요. 감자채볶음은 만들기 쉬운 것 같지만 볶을 때 눌어붙거나 으깨지기
쉬워 은근히 까다롭지요. 이런 것을 방지하기 위해 소금물에 한 번 삶았다가
요리를 하면 전분이 빠져나가 팬에 들러붙거나 으깨지는 일이 없답니다.

감자채볶음

애호박볶음

애호박볶음

조리시간 15분
2~3인분

- □ 애호박 90g(약 1/3개)
- □ 양파 25g(1/8개)
- □ 소금 1/4작은술(애호박 절임용)
- □ 다진 마늘 1/4작은술
- □ 포도씨유 1작은술

애호박은 0.5cm 폭의 부채꼴
모양으로 썬 후 소금을 뿌려
5분간 절인다. 양파는 채 썬다.

달군 팬에 포도씨유를 두르고
다진 마늘을 넣어 약한 불에서
30초간 볶은 후 양파를 넣어
1분간 볶는다.

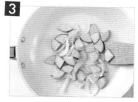

②의 팬에 애호박을 넣고
3분간 볶은 후 불을 끈다.
그대로 2분간 두어 여열로 더
익힌다.

감자채볶음

조리시간 15분
2~3인분

- □ 감자(큰 것) 200g(1개)
- □ 당근 20g(1/10개)
- □ 소금 약간
- □ 포도씨유 1큰술

감자과 당근은 필러로
껍질을 벗긴다. 감자는 채 썰고
당근은 가늘게 채 썬다.

끓는 소금물(물 2컵 + 소금
1작은술)에 감자를 넣고
센 불에서 3분 30초간 익힌 후
체에 밭쳐 물기를 뺀다.

**아빠·엄마용
이렇게
만드세요!**

매콤하게 먹고 싶다면 아이가
먹을 만큼 덜어낸 후 청양고추
1/2개를 썰어 넣고 한 번 더
볶으세요.

달군 팬에 포도씨유를 두르고
당근을 넣어 중간 불에서
30초간 볶은 후 감자를 넣어
2분 30초간 볶는다. 기호에
따라 소금으로 간을 한다.

무나물

❝ 평소 자주 체하는 제가 가장 좋아하는 나물이에요. 부드럽고 소화가 잘 돼 아이와 함께 먹기에도 부담 없답니다. 가을에 나는 무와 제주도산 겨울 무가 가장 맛있는데, 단맛이 강한 중간 부분으로 만들면 별다른 양념을 하지 않아도 달큼하고 맛있습니다. ❞

조리시간 20분
2~3인분

- ☐ 무 150g
  (지름 10cm, 두께 1.5cm 1토막)
- ☐ 다진 쇠고기 5g(1/2큰술, 생략 가능)
- ☐ 소금 1/4작은술(무 절임용)
- ☐ 국간장 1/2작은술
- ☐ 참기름 1작은술
- ☐ 포도씨유 1작은술

다시마물

- ☐ 다시마 5×5cm
- ☐ 미지근한 물 100ml(1/2컵)

볼에 다시마물 재료를 넣고
5분 이상 우린 후 다시마를
건져내 다시마물을 만든다.

무는 얇게 편 썰어 채 썬다.

②의 무에 소금을 뿌려 5분간
절인 후 물기를 살짝 짠다.

달군 팬에 참기름과
포도씨유를 두른 후 무와
쇠고기를 넣고 중간 불에서
1분 30초간 기름이 무에 다
스며들도록 볶는다.

④의 팬에 다시마물(1/2컵)과
국간장을 넣고 뚜껑을 덮어
약한 불에서 3~4분간 익힌다.

- **무는 흙이 묻어있는 채로 신문지에 싸서 보관하세요.**
  무는 쓸 부분만 토막 내어 사용하고 나머지는 흙이 묻어있는 채로 보관하는 것이 좋아요.
  잘린 단면을 마르지 않도록 랩으로 밀착한 후 신문지에 싸서 바람이 잘 통하고 햇볕이 들지 않는
  곳에 보관하면 오래 두고 먹을 수 있답니다.

시금치나물

❝ 시금치는 아이들 키를 크게 하는 데 정말 좋은 채소예요. 하지만 시금치를
싫어하는 아이들이 많지요. 어릴 적 시금치를 먹지 않을 때마다 엄마가 '뽀빠이
아저씨처럼 튼튼해져야지'라고 말씀하셨던 기억이 납니다. 어릴 적부터 먹었던
음식은 그때는 싫어했어도 자꾸 먹다보면 커서는 좋아하게 되는 것 같아요. 그래서
저희 아이에게도 시금치 반찬을 꾸준히 해주고 있답니다. ❞

어른용   아이용

조리시간 15분
2~3인분

□ 시금치 200g(4줌, 손대중량 17쪽)

아이용 양념
(시금치 100g, 2줌 기준)
□ 소금 1/8작은술
□ 국간장 1/2작은술
□ 참기름 1/2작은술
□ 통깨 1/2작은술

어른용 양념
(시금치 100g, 2줌 기준)
□ 아가베시럽(또는 설탕) 1작은술
□ 고추장 1작은술
□ 참기름 1작은술
□ 통깨 1/2작은술

시금치는 시든 잎을 떼어내고 뿌리의 흙을 털어 깨끗이 씻는다. 포기가 큰 것은 뿌리쪽에 열십(+)자로 칼집을 내어 4등분한다.

끓는 소금물(물 10컵＋굵은 소금 1큰술)에 시금치의 뿌리를 넣고 15초, 모두 넣고 30초간 데친다.

②의 시금치를 찬물에 헹궈 물기를 꼭 짜낸 후 길이대로 3~4등분한다.
★ 시금치의 물기를 꼭 짜내야 양념했을 때 더욱 맛있다.

2개의 볼에 시금치를 반으로 나눠 담고 어른용, 아이용 양념을 각각 넣어 버무린다.
★ 아이가 어리다면 먹기 좋게 가위로 잘라준다.

• **시금치는 살짝 데친 후 바로 찬물에 헹궈주세요.**
시금치는 끓는 소금에 넣자마자 한 번 뒤집어 살짝 데친 후 재빨리 찬물에 헹궈야 해요.
그래야 비타민 손실도 줄고 여열에 의해 시금치가 물러지는 것도 방지할 수 있어요.
• **나물용 시금치는 겨울에 나는 포항초나 섬초가 가장 달고 맛있어요.**
나물 무침용 시금치를 고를 때는 잎이 짤막하면서 뿌리 부분이 붉은 것이 달착지근하고 맛있어요. 국거리용으로는 잎이 넓고 줄기가 긴 것이 좋습니다.

멸치볶음·김치볶음

" 멸치볶음은 어른 아이 할 것 없이 누구나 좋아하는 밥반찬이에요. 밥 위에 올려 먹거나 주먹밥이나 김밥 속에 넣어도 맛있지요. 아이가 김치를 먹지 않아 속상하다면 씻은 김치를 새콤달콤하게 볶아주세요. 맵지 않아 김치를 싫어하는 아이들도 맛있게 먹을 수 있답니다. "

멸치볶음

김치볶음

멸치볶음

조리시간 15분
2~3인분

□ 잔멸치 20g(1/2컵, 컵대중량 17쪽)
□ 해바라기씨 10g(1큰술)
　★ 다른 견과류로 대체 가능
□ 아가베시럽(또는 설탕, 조청)
　1/2작은술
□ 포도씨유 1과 1/2작은술

달군 팬에 포도씨유를 두르고
잔멸치를 넣어 중간 불에서
1분 30초간 볶는다.

①의 팬에 해바라기씨를 넣고
30초간 볶은 후 아가베시럽을
넣고 불을 끈 채 골고루
버무린다. 그릇에 넓게 펼쳐
식힌다.

• **멸치볶음은 한번에 먹을 만큼만 볶아 드세요.**
　멸치볶음을 많이 만들어서 냉장 보관하면 딱딱해지고 맛도 없어지니 한끼 먹을 분량만큼 볶아
　바로 먹는 것이 맛있어요. 멸치는 지퍼백이나 밀폐 용기에 넣어 냉동 보관하세요.

김치볶음

조리시간 15분
2~3인분

□ 씻은 배추김치 100g(2/3컵)
□ 아가베시럽(또는 설탕) 1작은술
□ 통깨 1작은술
□ 참기름 1작은술

씻은 김치는 물기를 꼭 짜
사방 1cm 크기로 썬다.

달군 팬에 참기름을 두르고
김치를 넣어 약한 불에서
2분간 볶는다.

②의 팬에 아가베시럽을 넣고
1분간 볶다가 통깨를 넣고
가볍게 버무린다.

• **아가베시럽이 김치의 매운맛과 신맛을 줄여줘요.**
　김치를 볶을 때 아가베시럽을 넣으면 매운맛과 신맛이 줄어들어 아이들이 잘 먹을 수 있어요.
　김치를 살짝 씻은 후 오징어를 다져 넣고 김치전을 만들어도 잘 먹어요.

깻잎찜

깻잎은 특유의 향이 있어 아이들이 그리 좋아하는 재료는 아닙니다. 하지만
조금씩이라도 먹는 습관을 들여야 편식하지 않는 아이가 된답니다. '깻잎인데
향이 조금 있을 거야. 그래도 몸이 튼튼해지는 반찬이야'라고 설명도 해주면서,
약간 짭짤하게 만든 깻잎찜을 얇게 찢어 밥 위에 올려주세요.

조리시간 15분
3~4인분

☐ 깻잎 40g(약 24~26장)

양념
☐ 다진 멸치 2큰술
☐ 다진 양파 2큰술
☐ 다진 마늘 1/2큰술
☐ 양조간장 1큰술
☐ 국간장 1/2큰술
☐ 아가베시럽(또는 설탕) 1작은술
☐ 참기름 2작은술

아빠·엄마용
이렇게
만드세요!

아이용 깻잎찜은 어른이 먹어도
맛있어요. 그래도 좀 더 매콤하게
먹고 싶다면 깻잎과 양념을
반으로 나눠 어른용 양념에
고춧가루 조금과 청양고추를
얇게 썰어 넣고 아이용을 찐 후
어른용을 찌세요.

깻잎은 흐르는 물에 한 장씩
씻은 후 꼭지 부분을 한꺼번에
잡고 물기를 털어낸다.

양념 재료를 골고루 섞는다.

깊이가 있는 내열 접시에
깻잎 2장씩 펴고 양념을
1/2~1작은술씩 바르며
켜켜이 담는다.
★ 깻잎의 꼭지 부분이
엇갈리게 돌려가며 쌓으면
먹을 때 쉽게 떼어낼 수 있다.

김이 오른 찜기에 ③의 내열
접시째 넣고 뚜껑을 덮어
중간 불에서 4분간 찐다.

• **깻잎으로 전을 만들어도 잘 먹는답니다.**
밀가루 반죽에 깻잎을 채 썰어 넣고 전을 부치거나 각종 전 종류에 깻잎을 작게 잘라 넣어 보세요.
아이는 깻잎을 먹는다는 것도 모르고 맛있게 먹을 거예요.

야채참치

❝ 참치는 두뇌활동을 활발하게 해주는 DHA가 풍부해 아이들의 성장 발달에 좋아요. 집에 먹다 남은 옥수수콘이 있다면 같이 넣어도 맛있습니다. 참치와 맛 궁합이 좋을뿐더러 입안에서 톡톡 씹는 맛이 더해져 아이들이 좋아한답니다. ❞

조리시간 15분
2인분

☐ 참치캔 100g(1개)
☐ 감자(큰 것) 30g(약 1/7개)
☐ 양파 25g(1/8개)
☐ 당근 20g(1/10개)
☐ 포도씨유 1큰술

양념
☐ 토마토케첩 1큰술
☐ 청주 1작은술
☐ 아가베시럽(또는 설탕) 1작은술
☐ 고추장 1/4작은술
   (아이에 따라 가감)

참치는 체에 밭쳐 숟가락으로
누르면서 기름기를 제거한다.
감자, 양파, 당근은 사방 1cm
크기로 썬다.

양념 재료를 골고루 섞는다.

달군 팬에 포도씨유를 두르고
감자, 당근을 넣어 약한 불에서
3분, 양파를 넣어 2분간 볶는다.

③의 팬에 참치를 넣고 1분,
양념을 넣고 1분 30초간
골고루 볶는다.

• **참치캔을 구입할 때 첨가물을 반드시 확인하세요.**
  통조림으로 된 제품은 환경호르몬이 검출될 위험도 높은데다, 식품첨가물이 들어 있는 경우가 있어
  되도록 사용하지 않는 식재료예요. 그래서 참치캔을 구입할 때는 식품첨가물을 넣지 않고 포도씨유나
  카놀라유를 사용한 제품인지 꼼꼼히 살펴봅니다. 체에 밭쳐 뜨거운 물을 부으면 식품첨가물도
  줄어들고 기름기가 쏙 빠져 맛도 담백해집니다.
• **옥수수콘이 있다면 참치와 함께 넣어 볶으세요.**
  집에 먹다 남은 옥수수콘이 있다면 참치와 함께 1큰술 정도 넣고 볶아도 맛있습니다. 양념에 넣는
  고추장은 아이가 먹을 수 있는 매운맛의 정도에 따라 양을 조절하세요.

Tip

우엉조림

" 우엉조림은 아이들 사이에서 호불호가 나뉘는 반찬인 것 같아요. 다소 손이 많이 가지만 얇게 채쳐서 반찬으로 만들어주면 누구나 잘 먹는 반찬이 될 수 있답니다. 또한 넉넉히 만들어두면 밑반찬은 물론 김밥이나 유부초밥, 알밥, 주먹밥 등 다양한 요리에 활용할 수 있어서 좋아요. "

조리시간 30~35분
보관기간 7일

☐ 우엉 300g
 (지름 3cm, 길이 15cm 3토막)
☐ 식초 1큰술(우엉 데침용)
☐ 아가베시럽 1큰술
☐ 포도씨유 1작은술

다시마물
☐ 다시마 5×5cm
☐ 미지근한 물 240ml(1과 1/5컵)

양념
☐ 양조간장 4큰술
☐ 아가베시럽(또는 조청) 1과 1/2큰술
☐ 고춧가루 약간(생략 가능)

Tip

• **우엉은 칼등으로**
살살 긁어 얇은 껍질만
벗겨내세요.
손질해서 판매하는 우엉은
표백제를 사용하는 경우가
있으니 좀 번거롭더라도
껍질이 있는 것을
구입하세요. 껍질은 얇은
겉면만 벗겨질 정도로 가볍게
벗기는 것이 좋습니다.
그러면 우엉의 독특한 향을
충분히 즐길 수 있고, 영양소
파괴도 최소화할 수 있어요.

볼에 다시마물 재료를 넣고
5~10분 이상 우려 다시마물
(1과 1/5컵)을 만든 후 양념
재료를 넣고 골고루 섞는다.
★ 다시마는 빼지 않고 그대로
둔다.

우엉은 필러(또는 칼등)로
껍질을 벗겨 가늘게 채 썬 후
물에 담근다.
★ 필러로 껍질을 벗기듯이
깎아 채 썰어도 된다.

냄비에 우엉채를 넣고
우엉이 자작하게 잠길 만큼
물을 붓는다. 식초를 넣고
센 불에서 3분간 데친 후
체에 밭쳐 물기를 뺀다.

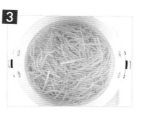

달군 팬에 포도씨유를 두르고
우엉채를 넣어 중간 불에서
2분간 볶는다.

④의 팬에 ①의 양념을 넣고
센 불로 올려 끓어오르면
약한 불로 줄여 중간중간
뒤적이며 양념이 졸아들
때까지 20분간 끓인다.
★ 다시마를 통째로 넣고
함께 조린 후 얇게 썰어 함께
먹으면 좋다.

⑤의 팬에 아가베시럽을
넣고 중간 불로 올려 1분간 더
조린다. ★ 아이가 어리다면
먹기 좋게 가위로 잘라준다.

소고기장조림

❝ 짭조름한 쇠고기장조림 국물에 밥을 비벼 먹던 추억은 누구나 갖고 계시지요?
제가 만드는 장조림은 짜지 않아 고기는 물론 국물까지 아이들이 마음껏
먹을 수 있답니다. 냉장고에 넣어두고 먹어도 고기가 결대로 잘 찢어질 만큼
부드럽게 만들어져 어른 아이 모두 좋아해요. ❞

조리시간 3시간
보관기간 14일

- ☐ 쇠고기(장조림용) 1kg
- ☐ 아가베시럽(또는 설탕)
  1큰술(쇠고기 볶음용)
- ☐ 양파 50g(1/4개)
- ☐ 대파(흰 부분) 15cm
- ☐ 통후추 10알(1/2작은술)
- ☐ 물 1L(5컵)

양념
- ☐ 풋고추 1개(생략 가능)
- ☐ 청주 1큰술
- ☐ 양조간장 5큰술
- ☐ 아가베시럽(또는 설탕) 2큰술

쇠고기는 사방 3~4cm 크기로 썬다.

깊은 팬을 센 불로 달군 후 쇠고기와 아가베시럽을 넣고 2분 30초간 뒤집어가며 익힌다.

②의 팬에 물, 양파, 대파, 통후추를 넣고 센 불에서 끓인다. 끓어오르면 거품을 걷어내고 뚜껑을 덮어 약한 불에서 1시간 동안 익힌다.

③의 쇠고기가 결대로 찢어지면 체에 밭쳐 쇠고기와 국물을 분리한다. ★ 국물은 남겨두어 ⑤번 과정에 사용한다.

④의 냄비를 씻은 후 ④의 국물(2와 1/2컵)과 쇠고기, 양념 재료를 넣고 센 불에서 끓인다. 끓어오르면 약한 불로 줄여 30분간 조린다. ★ 남은 국물은 보관해두고 국이나 찌개 끓일 때 사용한다.

쇠고기와 장조림 국물은 따로 분리해 하룻밤 정도 냉장고에 넣어둔다. 국물 위에 응고된 기름을 걷어내고 쇠고기에 부어 냉장 보관하며 먹는다.

- **고기를 먼저 삶은 후 양념을 넣어야 부드러운 장조림이 됩니다.** 처음부터 고기와 양념을 함께 넣고 삶게 되면 양념 속 간장이 고기의 단백질을 응고시켜 고기가 딱딱하고 질겨질 수 있어요. 이럴 때는 고기를 먼저 삶아낸 후 양념을 넣는 방법으로 만들어야 딱딱하지 않고 부드러운 장조림이 된답니다.
- **②번 과정은 고기를 부드럽게 만들기 위한 것입니다.** 쇠고기에 아가베시럽을 먼저 넣고 살짝 익혀주면 육질이 한결 부드러워집니다. 이 과정이 번거롭다면 생략해도 됩니다.

Tip

2가지 메추리알조림

66 메추리알조림은 장조림과 함께 남녀노소 누구나 좋아하는 반찬이지요.
한번 만들어 두면 한동안 반찬 걱정할 필요가 없답니다. 여행지에서도 아이
반찬을 책임질 수 있어서 좋아요. 특히 쇠고기 메추리알조림은 빠른 시간 안에
간단하게 장조림과 같은 맛을 낼 수 있어 바쁜 엄마들이 활용하기 좋은
메뉴랍니다. 99

메추리알조림

쇠고기 메추리알조림

메추리알조림

조리시간 50분
보관기간 7일

☐ 시판용 삶은 메추리알
　(껍질을 제거한 것) 800g(85개)
☐ 다시마 5×5cm 3장
☐ 양조간장 150ml
　(3/4컵, 기호에 따라 가감)
☐ 아가베시럽(또는 설탕) 100ml(1/2컵)
☐ 물 800ml(4컵)
☐ 청주 1큰술

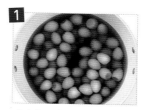

바닥이 두꺼운 냄비에
메추리알과 나머지 재료를
모두 넣고 센 불에서 끓이다
끓어오르면 거품을 걷어낸다.

중약 불로 줄여 45분간 조린
후 국물이 반 정도 졸아들고
메추리알에 색이 물들면
불을 끈다. ★ 조리는 중간에
뒤적이고, 다시마는 잘게 썰어
함께 먹어도 좋다.

소고기 메추리알조림

조리시간 55분
(+ 쇠고기 핏물 제거하기 10분)
보관기간 7일

☐ 시판용 삶은 메추리알
　(껍질을 제거한 것) 800g(85개)
☐ 쇠고기 안심 100g
☐ 양조간장 120ml
　(3/5컵, 기호에 따라 가감)
☐ 아가베시럽(또는 설탕)
　80ml(약 1/3컵)
☐ 물 800ml(4컵)
☐ 청주 1큰술

쇠고기는 찬물에 10분간 담가
핏물을 제거한다.

①의 쇠고기를 사방 1cm
크기로 썬다.

냄비에 모든 재료를 넣고
센 불에서 끓이다 끓어오르면
거품을 걷어낸다.

중약 불로 줄여 45분간 조린
후 국물이 반 정도 졸아들면
불을 끈다. ★ 조리는 중간에
뒤적인다.

- **양조간장의 양은 기호에 따라 가감하세요.** 양조간장의 양을 100ml 정도로 줄이면 좀 더
　심심한 맛으로 즐길 수 있어요. 단, 이때 아가베시럽의 양도 같은 비율로 줄여주세요.
- **메추리알을 직접 삶는다면 중간중간 저어주세요.** 물에 담가 그대로 삶으면 노른자가 한쪽에
　쏠려 껍질을 벗길 때 흰자가 뜯어질 수 있으니 삶을 때 중간중간 꼭 저어주세요.

콩자반

" 콩자반은 도시락 반찬으로 자주 먹었던 추억의 반찬이지요. 하지만 커다란
콩을 조려 아이에게 반찬으로 주면 대부분 먹지 않아요. 이럴 때는 몸에도
좋고 크기도 작은 쥐눈이콩을 사용해 부드러운 콩자반을 만들어 주세요.
씹기에도 부담 없고 달착지근하게 조려낸 콩을 싫어하는 아이들도 곧잘
먹는답니다. "

조리시간 55분(+ 콩 불리기 5시간)
보관기간 10일

☐ 쥐눈이콩(약콩) 150g
    (1컵, 컵대중량 17쪽)
☐ 물 800㎖(4컵)
☐ 다시마 5×5cm 2장
☐ 양조간장 50㎖(1/4컵)
☐ 설탕 2큰술
☐ 청주 1큰술
☐ 아가베시럽(또는 조청) 1큰술

쥐눈이콩을 깨끗이 씻은 후
물(2컵)에 담가 5시간 이상
불린다.

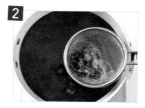

바닥이 두꺼운 냄비에
①의 콩과 콩 불린 물을 넣고
물(2컵)을 더 부어 센 불에서
끓인다.

끓어오르면 거품을 걷어내고
약한 불로 줄인 후 다시마를
넣고 20분간 푹 삶는다.

③의 콩이 다 삶아지고 물이
반 정도 졸아들면 양조간장,
설탕, 청주를 넣고 30분간
조린다.

④의 냄비에 아가베시럽을
넣고 센 불로 올려 1분 30초간
조린다. ★ 다시마는 잘게
썰어 함께 먹어도 좋다.

• **콩은 5시간 이상 푹 불리세요.**
만들기 전날 콩을 물에 담가 하룻밤 정도 불려두면 다음날 만들기 편해요. 보통 서리태로
콩자반을 만들기도 하지만 쥐눈이콩이 크기가 작고 부드러워 콩을 좋아하지 않는 아이들도
먹기가 편하답니다. 여름철에는 냉장고에서 불려야 싹이 트거나 상하지 않습니다.

두부구이·두부조림

❝ 두부는 부드러운 질감과 고소한 맛 때문에
아이들이 비교적 잘 먹는답니다. 그래서 특별하게
요리하지 않아도 그 자체로 맛있게 먹을 수
있지요. 두부를 구워 나물무침에 고기 대신
곁들이거나 양념에 조려 먹으면 밥 한 그릇 뚝딱
비울 수 있어요. 두부조림의 매운 정도는
아이들 먹기에도 부담 없어요. ❞

두부조림

두부구이

두부구이

조리시간 15분
2~3인분

□ 두부(부침용) 300g(큰 팩, 1모)
□ 소금 1/4작은술(두부 절임용)
□ 포도씨유 1큰술

양념장
□ 다진 파 1큰술(생략 가능)
□ 양조간장 1큰술
□ 식초 1/2작은술
□ 참기름 1/2작은술

두부구이 만들기

1 두부는 12등분해서 소금을 뿌린 후 키친타월로 살살 눌러가며 물기를 없앤다. 양념장 재료를 골고루 섞는다.

2 달군 팬에 포도씨유를 두르고 두부를 올려 중간 불에서 앞뒤 각각 2분씩 굽는다. 그릇에 담고 양념장을 곁들인다.
★ 두부조림으로 먹고 싶다면 ③, ④번 과정까지 만든다.

두부조림

조리시간 25분
2~3인분

□ 두부(부침용) 300g(큰 팩, 1모)
□ 소금 1/4작은술(두부 절임용)
□ 포도씨유 1큰술

양념
□ 송송 썬 쪽파(또는 대파) 1큰술
□ 양조간장 2큰술
□ 고춧가루 1작은술(생략 가능)
□ 다진 마늘 1/2작은술
□ 아가베시럽(또는 설탕) 1작은술
□ 참기름 1작은술
□ 통깨 1/2작은술
□ 물 100ml(1/2컵)

두부조림 만들기

3 양념 재료를 골고루 섞은 후 ②의 팬(구운 두부)에 넣고 중간 불에서 끓인다. 끓어오르면 양념을 끼얹으며 1분간 더 끓인다.

4 ③의 양념이 자작하게 졸아들면 약한 불로 줄인 후 양념을 끼얹으며 2분 30초간 조린다. ★ 두부의 수분이 덜 빠졌을 경우 수분이 많아지므로 조리는 시간을 늘린다.

- **두부구이 양념장에 고춧가루나 다진 달래를 넣어도 좋아요.**
  두부를 구울 때는 중간 불에서 여러 번 뒤집지 말고 노릇하게 구워야 맛있어요. 양념장에는 기호에 따라 고춧가루를 조금 넣거나 달래를 다져 넣으면 향긋하니 더욱 맛있어요.
- **두부를 양념에 조릴 때는 팬의 크기가 중요해요.**
  양념이 타지 않으면서 두부 속까지 간이 고루 밴 두부조림을 만들기 위해서는 적당한 크기의 팬을 준비하는 것이 중요합니다. 팬이 작아 꽉 차면 두부가 부서지기 쉽고, 너무 크면 양념이 잘 타거나 양념이 배지 않을 수 있어요.

소고기볶음 · 소고기 고추장볶음

> 쇠고기다짐육 한 근 사다가
> 반은 아이용 만능반찬인
> 쇠고기볶음으로 만들고, 나머지
> 반은 쇠고기 고추장볶음을
> 만들어보세요. 쇠고기 고추장볶음은
> 밥 위에 얹어 먹거나 비빔밥용
> 고추장으로 활용하면 아빠 엄마도
> 잘 먹는 완소 반찬이 될 거예요.
> 여행지에서도 비상 반찬으로 손색
> 없답니다.

소고기볶음

소고기 고추장볶음

소고기볶음

조리시간 25분
보관기간 4일
★ 냉동 보관법 317쪽 참고

☐ 다진 쇠고기 300g
☐ 포도씨유 2/3큰술

양념
☐ 다진 파 2큰술
☐ 다진 마늘 2큰술
☐ 양조간장 1큰술
☐ 청주 1큰술
☐ 아가베시럽(또는 설탕)
　 1과 1/2큰술
☐ 참기름 2/3큰술

쇠고기볶음 만들기

1
큰 볼에 양념 재료를 넣고
골고루 섞는다.

2
①에 다진 쇠고기를 넣고
버무려 20분간 재운다.

3
달군 팬에 포도씨유를 두르고
쇠고기를 넣어 덩어리지지
않게 중간 불에서 4분간 볶는다.
★ 고추장볶음으로 먹고 싶다면
④, ⑤번 과정까지 만든다.

소고기 고추장볶음

조리시간 30분
보관기간 4일

☐ 다진 쇠고기 300g
☐ 포도씨유 2/3큰술

양념
☐ 고추장 1컵
☐ 물 100ml(1/2컵)
☐ 다진 아몬드(또는 호두, 잣) 3큰술
☐ 아가베시럽(또는 꿀) 3큰술

쇠고기 고추장볶음 만들기

4
③의 팬에 고추장을 넣고
물을 부어 중간 불에서 2분간
끓인다.

5
④의 팬에 다진 아몬드,
아가베시럽을 넣고 되직해질
때까지 중약 불에서 3분간
볶는다.

애호박전

66 애호박전은 온 가족이 잘 먹는 반찬이지만, 은근히 손이 많이 가는 메뉴랍니다.
모든 전들이 다 그렇지만 밀가루를 탈탈 털어낸 후 달걀물을 묻혀야
예쁘게 구워집니다. 이렇게 하나씩 굽는 것이 번거롭다면 채 썰어 밀가루를 묻힌 뒤
달걀물에 넣고 넙적하게 구워보세요. 99

조리시간 30분
2~3인분

- ☐ 애호박 270g(1개)
- ☐ 밀가루 2와 1/2큰술
- ☐ 달걀 1개
- ☐ 소금 1작은술(애호박 절임용)
- ☐ 소금 약간
- ☐ 포도씨유 3큰술

애호박은 0.5cm 폭으로 썬다.

애호박에 소금을 약간 뿌려
5분간 절인 후 키친타월로
물기를 제거한다.

애호박 앞뒤에 밀가루를 얇게
묻힌 후 여분의 가루를 탈탈
털어낸다.

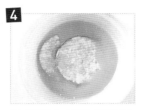

볼에 달걀과 소금을 약간 넣고
잘 풀어 달걀물을 만든다.
③의 애호박에 골고루 묻힌다.

달군 팬에 포도씨유(1큰술)를
두르고 애호박을 올려 약한
불에서 앞뒤로 2~3분간
굽는다. ★ 굽는 도중 기름이
부족하면 더해가며 굽는다.

- **초간장이나 초고추장에 찍어 먹으면 맛있어요.**
  초간장은 설탕 1큰술(생략 가능), 식초 1큰술, 양조간장 1큰술, 생수 1큰술을 모두 섞어서 만들고,
  초고추장은 설탕 2큰술, 식초 2큰술, 고추장 2큰술, 다진 생강 1작은술(또는 생강가루 1/2작은술)을
  모두 섞어서 만들면 됩니다.
- **밀가루를 넣은 위생팩에 애호박을 넣고 흔들어서 밀가루를 묻혀도 됩니다.**
  애호박 하나하나 밀가루를 묻히기 번거롭다면 위생팩에 밀가루와 애호박을 넣은 다음 봉지째
  흔들어서 애호박 앞뒤에 밀가루를 골고루 묻히세요. 단, 여분의 밀가루는 탈탈 털어내야 합니다.

Tip

미나리전

66 미나리로 전을 부친다고 하면 놀라는 분이 의외로 많아요. 미나리는 보통
생으로 먹거나 탕에 넣어 먹는다는 선입견 때문이지요. 미나리전을 노릇하고
바삭하게 구워 초간장이나 초고추장에 찍어 먹으면 맛있어요. 독특한 향 때문에
미나리를 먹지 않는 아이들도 잘 먹는답니다. 99

조리시간 10분
2~3인분

□ 미나리 150g(10~15줄기)
□ 당근 50g(1/4개)
□ 밀가루 120g(1컵 + 2큰술)
□ 소금 약간
□ 물 250ml(1과 1/4컵)
□ 포도씨유 5큰술

미나리는 깨끗이 씻어 억센 밑동을 잘라낸 후 1.5cm 폭으로 썬다.

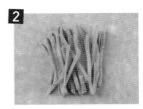

당근은 가늘게 채 썬다.

볼에 밀가루와 소금을 넣고 물을 조금씩 부어가며 골고루 섞는다.

③에 미나리와 당근을 넣고 골고루 섞는다.

달군 팬에 포도씨유(1~2큰술씩)를 두르고 ④의 반죽을 적당량 올려 얇게 편다. 중간 불에서 1분 30초, 뒤집어 1분간 굽는다.
★ 팬의 크기에 맞춰 반죽을 적당히 나눠 굽고, 굽는 도중 기름이 부족하면 더해가며 굽는다. 기호에 따라 초간장이나 초고추장을 곁들인다. 만들기 49쪽 참고.

• **반죽은 얇게 펴서 자주 뒤집지 말고 노릇하게 구우세요.**
  미나리전은 얇게 부칠수록 맛있어요. 전을 부칠 때는 중간 불에서 자주 뒤집지 말고 반죽이 반쯤 익었을 때 뒤집어 뒷면을 구우세요. 그래야 기름을 많이 먹지 않고 식감도 질기지 않아요. 반죽에 검은깨를 넣으면 보기도 좋고 맛도 좋아요.

애느타리버섯전

　　저는 어릴 적 버섯을 그리 좋아하지 않았어요. 친정 엄마가 그런 제게
느타리버섯전을 만들어 주셨는데, 먹어보고 너무 맛있어서 깜짝 놀랐던 기억이
납니다. 그래서인지 저희 아이도 애느타리버섯전을 만들어 주면 좋아하더라고요.
특히 새우살을 올려 구워주면 버섯 맛이 거의 나지 않아 더 잘 먹는답니다.

조리시간 25분
2~3인분(약 10개분)

- □ 애느타리버섯 약 200g
  (4줌, 손대중량 17쪽)
- □ 냉동 생새우살(킹사이즈)
  80g(5마리)
- □ 포도씨유 2큰술

애느타리버섯 밑간
- □ 소금 1/3작은술
- □ 참기름 2/3큰술

부침옷
- □ 밀가루(애느타리버섯용) 1큰술
- □ 밀가루(새우살용) 1작은술
- □ 달걀 3개

아빠·엄마용
이렇게
만드세요!

아이용이라면 대파를,
어른용이라면 청양고추를 얇게
썰어 새우살 위에 고명으로
얹으세요. 그러면 맛도 좋고
모양이 예쁜 애느타리버섯전이
완성됩니다.

냉동 생새우살은 소금물
(물 3컵 + 소금 1/2작은술)에
담가 반쯤 해동한 후 길게
반으로 가른다.

애느타리버섯은 밑동을 잘라
결대로 가늘게 찢는다.
큰 볼에 넣어 밑간을 한다.

②의 애느타리버섯에 밀가루
(1큰술)를 넣고 잘 섞은 후
달걀을 넣어 골고루 버무린다.

다른 볼에 새우살과 밀가루
(1작은술)를 넣고 잘 섞는다.

달군 팬에 포도씨유를 두르고
③의 애느타리버섯을 큼직하게
떠 넣는다.

애느타리버섯을 버무리고 남은
달걀물에 ④의 새우살을
하나씩 넣고 골고루 묻힌 후
⑤ 위에 올려 중약 불에서 앞뒤로
2~3분간 굽는다.
★ 굽는 도중 기름이 부족하면
더해가며 굽는다.

- **전을 부칠 때는 새우살의 몸통이 위로 오도록 올려주세요.** 애느타리버섯 위에 새우살을 올릴 때는
  자른 단면 말고 몸통 부분이 위로 오게 해야 색이 예뻐요. 새우살이 없다면 생략해도 좋습니다.
- **아이들이 한입에 넣을 수 있도록 작은 크기로 부치면 먹기가 편해요.** 조그맣게 부치는 것이
  번거롭다면 넙적하게 부쳐 가위로 쓱쓱 자르거나 젓가락으로 찢어 먹어도 맛있어요.

호두 두부스테이크

66 두부와 채소로만 만들어진 스테이크로 다진 호두를 넣어 씹히는 질감이
좋아요. 호두는 오메가 3가 풍부하고 뇌를 보호하는 기능이 있어
아이 간식으로 좋은데요, 이렇게 속재료로 넣어 만들면 아이들이 더 잘 먹게
됩니다. 토마토케첩이나 토마토소스를 곁들여 먹으면 맛있어요. **99**

조리시간 20~25분
2~3인분

□ 두부 300g(큰 팩, 1모)
□ 호두 10g(약 3~4알)
□ 숙주 30g(약 1/2줌, 손대중량 17쪽)
□ 양송이버섯 30g(1개)
□ 밀가루 2큰술
□ 소금 1/4작은술
□ 포도씨유 2큰술

1 두부는 칼면으로 부드럽게 밀어 으깬 후 면보나 다시백에 넣어 물기를 꼭 짠다.

2 호두는 키친타월에 올려 잘게 다지고, 숙주와 양송이버섯도 잘게 다진다.

3 볼에 포도씨유를 제외한 모든 재료를 넣고 골고루 섞은 후 5등분한다.

4 ③의 반죽을 지름 7cm 크기로 둥글 납작하게 빚는다.

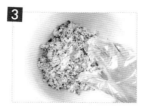

5 달군 팬에 포도씨유(1~2큰술)를 두르고 ④의 반죽을 올려 약한 불에서 뚜껑을 덮고 앞뒤 각각 4분씩 굽는다. ★ 굽는 도중 기름이 부족하면 더해가며 굽는다.

• **호두의 쓴맛을 싫어한다면 한 번 데쳐서 껍질을 벗겨 먹이세요.**
특유의 쌉쌀한 맛 때문에 호두를 싫어하는 아이들이 있는데요. 이 쌉쌀한 맛은 호두의 얇은 속껍질 때문이랍니다. 끓는 물에 호두를 30초 정도 데친 후 찬물에 담가두어 이쑤시개로 껍질을 벗기면 조금 번거롭더라도 아이들이 훨씬 잘 먹을 거예요.

동그랑땡

"'소풍도시락'하면 다들 김밥이 생각나시지요? 전 엄마가 김밥과 함께 싸준 동그랑땡이 생각납니다. 지금은 냉동식품으로도 많이 나와 있지만 그때는 처음 먹어본 친구들이 많았어요. 그 추억 때문인지 저 역시 아이 소풍도시락에 동그랑땡을 한입 크기로 작게 구워 넣어주곤 해요. 넉넉하게 만들어 냉동 보관하면 바쁠 때 요긴한 반찬이 되기도 합니다."

조리시간 40분
2~3인분(약 30개분)

☐ 다진 쇠고기 100g
☐ 다진 돼지고기 100g
☐ 두부 200g(큰 팩, 2/3모)
☐ 당근 20g(1/10개)
☐ 양파 40g(1/5개)
☐ 다진 파 1큰술
☐ 소금 1작은술
☐ 후춧가루 약간
☐ 참기름 1작은술
☐ 포도씨유 2큰술

부침옷
☐ 밀가루 4큰술
☐ 달걀 2개

1 두부는 칼면으로 부드럽게 밀어 으깬 후 면보나 다시백에 넣고 물기를 꼭 짠다.

2 당근과 양파는 곱게 다진다. 볼에 달걀을 풀어 달걀물을 만든다.

3 큰 볼에 다진 쇠고기, 다진 돼지고기, 두부, 당근, 양파, 다진 파, 소금, 후춧가루, 참기름을 넣고 오래 치댄다.

4 ③의 반죽을 30등분해 지름 3cm 크기로 둥글 납작하게 빚은 후 손가락으로 가운데를 눌러준다.

5 ④의 반죽에 밀가루, 달걀물 순으로 부침옷을 입힌다.

6 달군 팬에 포도씨유(1~2큰술)를 두르고 ⑤의 반죽을 올려 중약 불에서 앞뒤 각각 4~5분씩 굽는다. ★ 굽는 도중 기름이 부족하면 더해가며 굽는다.

• **반죽의 가운데 부분을 눌러줘야 속이 고르게 익어요.**
반죽을 둥글 납작하게 빚은 후 손가락으로 가운데를 눌러주세요. 그래야 구울 때 속까지 골고루 익힐 수 있어요.

Tip

배추전

" 큼직한 배춧잎에 밀가루 반죽만을 입혀 부친 배추전. 밋밋하니 볼품 없어
보이지만 달콤하고 아삭한 것이 생각보다 훨씬 맛있답니다. 섬유질도 많고
영양도 풍부해 아이들에게 먹이면 좋은 반찬 겸 간식이지요. 초간장이나
초고추장에 찍어 먹으면 맛있습니다. "

조리시간 15분
2～3인분(5개분)

□ 배춧잎(알배기배추) 약 200g(5장)
□ 밀가루 4큰술(배추 묻힘용)
□ 포도씨유 2큰술

반죽옷
□ 밀가루 1과 1/4컵
□ 물 300ml(1과 1/2컵)
□ 소금 1작은술

배춧잎은 깨끗이 씻어 두꺼운
줄기 부분을 밀대로 살짝 민다.
★ 잎 부분은 밀지 않는다.

볼에 반죽용 밀가루(1과 1/4컵),
물, 소금을 넣고 잘 섞어
반죽옷을 만든다.

배춧잎에 밀가루(4큰술)를
묻힌 후 ②의 반죽옷을 입힌다.

달군 팬에 포도씨유(1～2큰술)를
두르고 ③의 배춧잎을 올려 중간
불에서 앞뒤 각각 1분 30초씩
굽는다. ★ 굽는 도중 기름이
부족하면 더해가며 굽는다.

• **배추를 먹기 좋은 크기로 잘게 썰어 반죽해도 좋아요.**
큰 배추전을 아이가 먹을 때는 잘게 잘라주세요. 배추를 처음부터 먹기 좋게 다지거나
채 썰어 반죽옷에 넣은 다음 전을 부쳐도 아이가 먹기 편하답니다. 이때는 배추에 따로 밀가루를
묻히지 않고 그냥 반죽하면 됩니다.
• **전을 부치고 남은 배추는 초고추장을 곁들여 한국식 샐러드로 즐기세요.**
배추를 채 썰어 고추장과 깨소금에 버무리면 상큼한 한국식 샐러드가 됩니다. 된장찌개를 끓여
같이 비벼 먹어도 맛있답니다. ★ 초고추장 만들기 49쪽 참고.

Tip

소고기육전·소고기찹쌀전

쇠고기육전은 온 가족이 먹기 좋은 밥 반찬이자 아빠, 엄마 술안주로도 좋은 메뉴예요. 구운 뒤 바로 먹어도 맛있지만 여러 번 데워 육포처럼 꾸들꾸들해졌을 때 먹는 것도 맛있지요. 쇠고기찹쌀전은 질감이 부드러워 어린 아이들도 잘 먹을 수 있어요. 팽이버섯, 파프리카, 수삼 등 각종 생채소를 넣고 돌돌 말면 멋진 일품요리가 된답니다.

소고기찹쌀전

소고기육전

소고기육전

조리시간 20분
2~3인분

☐ 소고기(육전용, 우둔살 또는
　홍두깨살) 200g
☐ 밀가루 4큰술
☐ 달걀 1개
☐ 포도씨유 2큰술

쇠고기 양념
☐ 국간장 2/3큰술(기호에 따라 가감)
☐ 참기름 1작은술

쇠고기는 얇게 포 떠서
사방 6~7cm 크기로 썬다.

쇠고기는 양념에 버무려
5분간 재운다. ★ 양념이
충분히 배도록 조물조물
주물러 버무린다.

쇠고기 앞뒤에 밀가루를 얇게
묻힌 후 여분의 가루를 탈탈
털어낸다. 이 과정을 2~3번
반복한다.

볼에 달걀을 풀어 달걀물을
만든 후 ③의 쇠고기에 골고루
묻힌다.

달군 팬에 포도씨유를 두르고
④의 쇠고기를 넣어 중간 불에서
30초, 뒤집어 1분간 굽는다.
★ 고기를 두껍게 손질했다면
굽는 시간을 늘린다.

• **쇠고기에 밀가루를 여러 번 묻혀야 부침옷이 벗겨지지 않아요.**
　쇠고기에 밀가루를 2~3번 골고루 묻힌 다음 달걀물을 입혀야 부침옷이 벗겨지지 않고 모양도
　그대로 유지됩니다. 단, 밀가루가 너무 두껍게 묻어 있으면 달걀물이 잘 입혀지지 않으니 여분의
　가루는 탈탈 털어 최대한 얇게 밀가루를 입히세요.

소고기찹쌀전

조리시간 20분
2~3인분

☐ 쇠고기(육전용, 우둔살 또는
   홍두깨살) 200g
☐ 찹쌀가루 6큰술
☐ 포도씨유 2큰술

쇠고기 양념
☐ 배즙 1큰술
☐ 양조간장 1과 1/3큰술
   (기호에 따라 가감)
☐ 아가베시럽(또는 설탕) 1큰술
☐ 참기름 2작은술

쇠고기는 얇게 포 떠서
사방 6~7cm 크기로 썬다.

쇠고기 양념 재료를 골고루
섞는다.

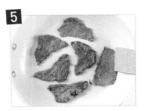

쇠고기는 양념에 버무려
5분간 재운다. ★ 양념이
충분히 배도록 조물조물
주물러 버무린다.

쇠고기 앞뒤에 찹쌀가루를
얇게 묻힌 후 여분의 가루를
탈탈 털어낸다.

달군 팬에 포도씨유를 두르고
④의 쇠고기를 올려 중약 불에서
1분 30초, 뒤집어 1분간 굽는다.
★ 고기를 두껍게 손질했다면
굽는 시간을 늘린다.

· **고기를 구입할 때 육전용으로 손질해달라고 하세요.**
  마트 정육코너나 정육점에서 쇠고기를 육전용으로 얇게 포 떠서 달라고 하면 그렇게
  손질해주는 경우가 많아요. 그러면 집에서 손질할 필요가 없어 조리시간이 많이 단축된답니다.

> 아이들이 김치를 싫어하는 이유는 대부분 매운맛 때문인데요,
> 배추 한 포기로 아이 입맛에 맞게 배추김치와 백김치 모두 담가보세요.
> 배추김치는 파프리카로 붉은색을 내어 아이가 먹기에 자극적이지 않고,
> 백김치는 물김치처럼 국물도 먹을 수 있도록 시원하게 담가 어른이 함께 먹어도
> 맛있답니다.

백김치

배추김치

배추김치

조리시간 30분(+ 배추 절이기
5~6시간, 숙성시키기 1일)

☐ 배추 600g(1/2포기)

배추 절임용
☐ 굵은 소금 25g(1/8컵, 웃소금용)
☐ 굵은 소금 95g(1컵)
☐ 물 750ml(3과 2/3컵)

속 재료
☐ 무 150g
  (지름 10cm, 두께 1.5cm 1토막)
☐ 배 70g(1/4개)
☐ 당근 35g(약 1/6개)
☐ 밤 20g(2톨)
☐ 미나리 10g(1줄기)
☐ 쪽파 20g(2줄기)

양념
☐ 찹쌀물(물 1컵+찹쌀가루 1큰술)
☐ 배 70g(1/4개)
☐ 양파 50g(1/4개)
☐ 파프리카 65g(1/2개)
☐ 고춧가루 1큰술(기호에 따라 가감)
☐ 다진 마늘 1/2큰술
☐ 멸치액젓 1큰술
☐ 새우젓(국물+건지) 1큰술
☐ 아가베시럽(또는 설탕) 2/3큰술
☐ 다진 생강 1/2작은술

배추는 길게 2등분해 줄기
부분에 웃소금을 뿌린다.
줄기 부분이 부드럽게 접힐
때까지 소금물(물 3과 2/3컵
+굵은 소금 1컵)에 담가
5~6시간 정도 절인다.

①의 절인 배추는 흐르는 물에
씻어 체에 밭쳐 물기를 뺀 후
손으로 꼭 짠다.

무, 배, 당근은 4cm 길이로
가늘게 채 썰고, 밤도 가늘게
채 썬다. 미나리와 쪽파는 씻어
4cm 길이로 썬다.

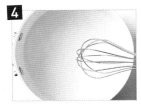

냄비에 찹쌀물 재료를 넣고
중간 불에서 거품기로 저어가며
한소끔 끓인 후 식힌다.

믹서에 찹쌀물을 제외한 양념
재료를 모두 넣고 곱게 간다.
④의 찹쌀물과 속 재료를 넣고
골고루 섞는다.

배추 줄기 안쪽부터 ⑤의
속 재료를 넣고 버무린 후
밀폐 용기에 옮겨 담는다.
하루 정도 서늘하고 빛이 들지
않는 곳에서 숙성시킨 후
냉장 보관해서 익으면 먹는다.
★ 여름철에는 2~3시간 정도
숙성시킨다.

백김치

조리시간 30분(+ 배추 절이기
5~6시간, 숙성시키기 1일)

□ 배추 600g(1/2포기)

배추 절임용
□ 굵은 소금 25g(1/8컵, 옷소금용)
□ 굵은 소금 95g(1컵)
□ 물 750ml(3과 2/3컵)

속 재료
□ 무 150g
　(지름 10cm, 두께 1.5cm 1토막)
□ 배 70g(1/4개)
□ 당근 35g(약 1/6개)
□ 밤 20g(2톨)
□ 미나리 20g(2줄기)
□ 쪽파 20g(2줄기)
□ 소금 1작은술

양념
□ 찹쌀물(물 3컵+찹쌀가루 1큰술
　+굵은 소금 1/4큰술)
□ 배 70g(1/4개)
□ 양파 50g(1/4개)
□ 다진 마늘 1/2큰술
□ 아가베시럽(또는 설탕) 2/3큰술
□ 다진 생강 1/2작은술

배추는 길게 2등분해 줄기
부분에 옷소금을 뿌린다.
줄기 부분이 부드럽게 접힐
때까지 소금물(물 3과 2/3컵
+굵은 소금 1컵)에 담가
5~6시간 정도 절인다.

①의 절인 배추는 흐르는 물에
씻어 체에 밭쳐 물기를 뺀 후
손으로 꼭 짠다.

무, 배, 당근은 4cm 길이로
가늘게 채 썰고, 밤도 가늘게
채 썬다. 미나리와 쪽파는 씻어
4cm 길이로 썬다. 큰 볼에
속 재료를 넣고 10분간 절인다.

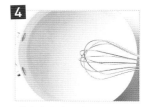

냄비에 찹쌀물 재료를 넣고
중간 불에서 거품기로 저어가며
한소끔 끓인 후 식힌다.

믹서에 찹쌀물을 제외한 양념
재료를 넣고 곱게 간다. 면보나
다시백에 넣어 즙을 짠 후 ④의
찹쌀물을 넣고 골고루 섞는다.

배추 줄기 안쪽부터 ③의
속 재료를 넣고 버무린 후
밀폐 용기에 옮겨 담는다.
⑤의 양념을 붓고 하루 정도
서늘하고 빛이 들지 않는 곳에서
숙성시킨 후 냉장 보관해서
익으면 먹는다. ★ 여름철에는
2~3시간 정도 숙성시킨다.

깍두기

66 아이가 한입에 먹을 수 있도록 작게 잘라 만든 깍두기는 김치를 아직 잘 먹지 못하는 아이들에게 좋아요. 배추김치에 비해 담그는 방법도 간단하고 빨리 익기 때문에 손쉽게 만들 수 있지요. 빨강 파프리카로 색을 내서 보기와 달리 맵지 않답니다. 99

조리시간 30분(+ 무 절이기 1시간,
숙성시키기 1일)

□ 무 500g
  (지름 10cm, 두께 5cm 1토막)
□ 미나리 10g(1줄기)
□ 쪽파 5g(1줄기)

무 절임용
□ 설탕 1/2큰술
□ 고춧가루 1/2큰술(생략 가능)
□ 소금 1/2작은술

양념
□ 빨강 파프리카 65g(1/2개)
□ 다진 마늘 3/4큰술
□ 물 2큰술
□ 다진 생강 1/4작은술
□ 새우젓(국물 + 건지) 1작은술
□ 밥 2작은술

무는 사방 1cm 크기로 썬다.

큰 볼에 무와 설탕을 넣고
버무려 3분, 고춧가루를 넣고
버무려 2분간 절인다. 소금을
넣고 버무려 1시간 정도 더
절인다.

미나리와 쪽파는 1.5cm 길이로
썬다.

믹서에 양념 재료를 넣고 곱게
간다.

②의 절인 무에 미나리, 쪽파,
양념을 넣고 골고루 버무린 후
밀폐 용기에 옮겨 담는다.
하루 정도 서늘하고 빛이 들지
않는 곳에서 숙성시킨 후 냉장
보관해서 다음 날부터 먹는다.

- **무는 가을과 겨울 사이에 맛이 가장 좋아요.**
  무를 고를 때는 모양이 좋고 둥글며 단단한 것, 표면이 균일한 것을 선택하세요.
  깍두기용 무는 단맛이 가장 많은 가운데 흰 부분을 사용하는 것이 좋아요.
- **아이가 매운 것을 잘 먹는다면 고춧가루의 양을 조금씩 늘리면서 만들어보세요.**
  무에 설탕이나 소금, 고춧가루를 넣고 버무릴 때는 무 속에 양념이 잘 배도록 손으로
  박박 주물러가면서 버무리세요.

장아찌 3종

마늘종장아찌

깻잎장아찌

> 한번 만들어 오래 두고 먹을 수 있는
> 간단한 저장반찬이에요. 깻잎장아찌는
> 잘게 찢어 다른 반찬과 함께 밥에
> 올려주면 아이들도 잘 먹는답니다.
> 양파장아찌와 마늘종장아찌도 짜지
> 않고 새콤달콤해 입맛을 돌게 하는
> 반찬이에요. 양파장아찌는 가늘게 채
> 썰어 고기 먹을 때 반찬으로 주세요.

양파장아찌

마늘종·양파장아찌

조리시간 20분(+ 숙성시키기 7일)

□ 마늘종 420g(42줄기)
　또는 양파 800g(4개)

양념
□ 설탕 1컵
□ 식초 1컵
□ 양조간장 1컵
□ 다시마물 1컵(다시마 5×5cm
　+ 미지근한 물 1컵)

1 마늘종장아찌를 만드는 경우 마늘종은 깨끗이 씻어 물기를 제거한 후 3~4cm 길이로 썬다. 양파장아찌를 만드는 경우 양파는 크기에 따라 2~4등분 한다.

2 볼에 양념 재료를 넣고 설탕이 녹을 때까지 잘 저어 섞는다.

3 밀폐 용기에 마늘종(또는 양파)을 담고 ②의 양념을 부은 후 접시나 깨끗한 돌로 눌러 일주일 정도 서늘하고 빛이 들지 않는 곳에서 숙성시킨다.

4 숙성시킨 장아찌는 체에 밭쳐 양념물만 거른 후 중간 불에서 끓인다.

5 끓어오르면 불을 끄고 식힌 후 마늘종(또는 양파)과 함께 밀폐 용기에 담아 냉장 보관해서 먹는다. ★ 양파장아찌는 마늘종 대신 양파가 들어가고 만드는 방법은 동일합니다.

깻잎장아찌

조리시간 15분(+ 숙성시키기 2일)

□ 깻잎 70g(40장)

양념
□ 식초 1큰술
□ 설탕 1/2컵
□ 양조간장 1컵
□ 다시마물 1컵(다시마 5×5cm
　+ 미지근한 물 1컵)

1 냄비에 미지근한 물(1컵)과 다시마를 10분 이상 담가둔다. 나머지 양념 재료를 넣고 센 불에서 끓이다 끓어오르면 불을 끄고 식힌다. 다시마는 건져낸다.

2 깻잎은 흐르는 물에 1장씩 씻은 후 꼭지 부분을 한꺼번에 잡고 물기를 털어낸다.

3 밀폐 용기에 깻잎을 담고 ①의 양념을 부은 후 접시나 깨끗한 돌로 눌러 이틀 정도 서늘하고 빛이 들지 않는 곳에서 숙성시킨다.

4 숙성시킨 깻잎장아찌는 체에 밭쳐 양념물만 거른 후 중간 불에서 끓인다.

5 끓어오르면 불을 끄고 식힌 후 깻잎과 함께 밀폐 용기에 담아 냉장 보관해서 먹는다.

• **장아찌의 양념 비율은 1:1:1:1로 간단합니다.**
　마늘종과 양파장아찌의 양념 비율은 아주 간단해요. 설탕, 식초, 양조간장, 물의 비율이 모두 같답니다.
　단, 깻잎장아찌의 경우 단맛이 강할 수 있으니 식초와 설탕의 양을 줄이는 것이 좋아요.

• **밀폐 용기에 담아 숙성시킬 때는 누름돌이나 접시로 눌러두세요.**
　장아찌를 밀폐 용기에 담아 숙성시키다 보면 삼투압 현상(염분 농도가 높은 쪽에서 낮은 쪽으로 수분이 빠져나가는 현상)에 의해 물이 생겨 재료들이 양념물 위로 둥둥 뜨는 것을 볼 수 있어요. 이를 방지하기 위해서는 누름돌이나 접시 등으로 눌러줘야 합니다. 돌이나 접시 대신 2중 지퍼백에 물을 담아 잘 밀봉한 뒤 올려두는 방법도 있어요.

• **마늘종은 4~6월이 제철이에요.**
　마늘종은 4계절 내내 구입할 수 있지만 제철이 아닐 때는 대부분 중국산이랍니다.

아이와 함께 먹기 좋은
국물요리

맛있는 국 하나만 준비하면 별다른 반찬이 없어도 맛있게 식사할 수 있지요.
이른 아침에도 손쉽게 끓일 수 있는 초간단 국은 물론 남편과 아이 기를 보충하는
영양국까지 매일 질리지 않고 다양하게 즐길 수 있는 국물요리들을 소개합니다.
채소나 쇠고기, 멸치, 다시마를 넣고 끓인 국은 영양분이 국물에 녹아 나와
아이가 다양한 영양소를 섭취하는 데도 효과적이랍니다.
단, 아이에게 먹일 국은 간을 싱겁게 하고 어른들은
기호에 따라 소금이나 간장을 더해 간을 맞추세요.

콩나물국·소고기미역국

❝ 콩나물국은 맛이 담백하고 시원해 아이가 먹기에도 좋고, 남편 해장국으로도
그만이지요. 아이가 먹을 때는 콩나물을 작게 잘라주면 씹고 삼키기에
부담이 덜합니다. 미역국을 끓일 때는 실미역을 사용하세요. 재래미역은 줄기가
딱딱하고 두꺼워 아이가 먹기에는 질길 수 있어요. ❞

콩나물국

소고기미역국

콩나물국

조리시간 10분
2~3인분

☐ 콩나물 100g(2줌, 손대중량 17쪽)
☐ 다시마 5×5cm 2장
☐ 다진 파 1/2큰술
☐ 다진 마늘 1작은술
☐ 소금 1작은술(기호에 따라 가감)
☐ 국간장 1작은술
☐ 물 1L(5컵)

콩나물은 깨끗이 씻은 후
체에 밭쳐 물기를 뺀다.

냄비에 모든 재료를 넣고
뚜껑을 열어 센 불에서
끓인다. 끓어오르면 중간 불로
줄여 5분간 더 끓인다.

소고기미역국

조리시간 30분
2~3인분

☐ 자른 마른 실미역 15g
  (4줌, 손대중량 17쪽)
☐ 쇠고기(국거리용) 150g
☐ 국간장 1큰술(기호에 따라 가감)
☐ 소금 약간(생략 가능)
☐ 물 1L(5컵)
☐ 참기름 1큰술

볼에 마른 미역을 넣고
물(3컵)을 부어 15분간 불린다.
체에 밭쳐 흐르는 물에 깨끗이
씻은 후 물기를 꼭 짠다.
★ 자르지 않은 긴 미역은 불린
후 3cm 길이로 썰어 사용한다.

달군 냄비에 참기름을 두르고
쇠고기와 미역을 넣어 센 불에서
3분간 볶는다.

②의 냄비에 물(5컵)을 붓고
끓어오르면 거품을 걷어내고
국간장을 넣는다.

중간 불로 줄여 4분간 끓인 후
기호에 따라 소금으로 간을 한다.

- **미역은 참기름에 충분히 볶아야 국물 맛이 깊어집니다.** 미역 속에 참기름이 고루 스며들도록
  충분히 볶아야 기름이 둥둥 뜨지 않으면서 국물이 깔끔한 미역국이 만들어집니다. 쇠고기 외에
  굴이나 조개, 홍합, 북어 등을 넣고 끓여도 맛있습니다.
- **재래미역이 아닌, 실미역을 사용하세요.** 실미역은 줄기 부분 없이 잎만 말려 가늘고 부드러운
  미역이에요. 재래미역은 판으로 말려 줄기가 두꺼운 미역으로 산모용 미역으로도 불립니다.

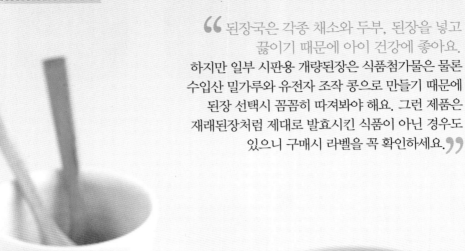

된장국

된장국은 각종 채소와 두부, 된장을 넣고
끓이기 때문에 아이 건강에 좋아요.
하지만 일부 시판용 개량된장은 식품첨가물은 물론
수입산 밀가루와 유전자 조작 콩으로 만들기 때문에
된장 선택시 꼼꼼히 따져봐야 해요. 그런 제품은
재래된장처럼 제대로 발효시킨 식품이 아닌 경우도
있으니 구매시 라벨을 꼭 확인하세요.

조리시간 25~30분
2~3인분

- □ 감자 100g(약 1/2개)
- □ 당근 50g(1/4개)
- □ 애호박 50g(1/4개)
- □ 양파 50g(1/4개)
- □ 대파(흰 부분) 5cm
- □ 다진 마늘 1/2작은술
- □ 두부(찌개용) 100g(큰 팩, 1/3모)
- □ 된장 1큰술(된장 염도에 따라 가감)

국물

- □ 국물용 멸치 20g(20마리)
- □ 물 1L(5컵)

냄비에 국물 재료를 넣고
센 불에서 끓인다. 끓어오르면
중약 불로 줄여 10분간 끓인 후
멸치를 건져낸다.

감자, 당근, 애호박, 양파는
사방 1cm 크기로 썬다.
대파는 송송 썬다.

두부는 사방 1cm 폭으로 썬다.

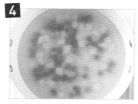

①의 냄비에 감자와 당근을
넣어 센 불에서 끓인다.
끓어오르면 거품을 걷어내고
중간 불로 줄여 3분간 더
끓인다.

④의 냄비에 애호박과 양파를
넣고 5분간 끓인 후 된장을
체에 밭쳐 푼다.

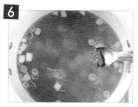

⑤의 냄비에 두부, 대파,
다진 마늘을 넣고 센 불로 올려
2분간 더 끓인다.

**아빠·엄마용
이렇게
만드세요!**

아이가 먹을 만큼 덜어낸 후
고춧가루 조금과 청양고추
1/2개 를 썰어 넣고 한소끔
끓이면 시원하면서 칼칼한
어른용 된장국이 됩니다.

건새우배춧국

❝ 시원하고 맛있어 누구나 좋아하는 초간단 국이에요. 새우에서 우러난 국물 맛이 구수하고 배추도 무르기 때문에 아이도 잘 먹는답니다. 마른 새우를 먹기 좋게 잘라 넣었지만, 아이가 여려 새우를 씹어 먹기 힘들다면 새우는 건져내고 다른 건더기만 담아주세요.**❞**

조리시간 20분
2~3인분

- ☐ 마른 두절새우(꽃새우) 15g
  (1/2컵, 컵대중량 17쪽)
- ☐ 알배기배춧잎 100g(5장)
- ☐ 대파 5cm
- ☐ 다진 마늘 1/2작은술
- ☐ 된장 1과 1/3큰술
  (된장 염도에 따라 가감)
- ☐ 물 1L(5컵)

마른 새우는 크기에 따라
2~3등분한다.

알배기배춧잎은 길게 2등분해
굵게 채 썰고 대파는 송송 썬다.

냄비에 물(5컵)을 붓고
마른 새우를 넣어 센 불에서
끓인다. 끓어오르면 거품을
걷어내고 중간 불로 줄여
5분간 끓인다.

③의 냄비에 알배기배춧잎을
넣고 된장을 체에 밭쳐 푼다.

④의 냄비에 대파와 다진
마늘을 넣고 센 불로 올려
끓어오르면 중약 불로 줄여
5분간 더 끓인다.

아빠·엄마용
이렇게
만드세요!

어른용으로 좀 더 칼칼하게 먹고
싶다면 아이가 먹을 만큼 덜어낸
후 청양고추 1/2개를 썰어 넣고
한소끔 끓이세요. 집집마다
된장의 맛과 간의 세기가 다르니
기호에 따라 된장의 양은
가감하고, 국물의 간이 싱겁다면
국간장으로 간을 맞추세요.

황태국

❝ 황태국은 남편 해장국은 물론 온 가족이 시원하게 끓여 먹을 수 있는 국입니다. 황태국을 맛있게 끓이려면 색이 누렇고 살이 연한 황태를 준비하는 것이 좋아요. 정석대로 끓인다면 황태 1마리를 사서 육수를 낸 뒤 끓여야 하지만, 황태채를 넣고 간단하게 끓여도 충분히 맛있게 먹을 수 있어요. ❞

조리시간 30분

2~3인분

- □ 황태채 40g
  (약 1과 1/2컵, 컵대중량 17쪽)
- □ 무 80g
  (지름 10cm, 두께 0.8cm 1토막)
- □ 대파 7cm
- □ 다진 마늘 1작은술
- □ 국간장 1/2큰술
- □ 새우젓(또는 소금) 약간
  (기호에 따라 가감)
- □ 달걀 1개
- □ 참기름 1큰술
- □ 물 1L(5컵)

황태채는 물에 한번 씻어
잘게 찢은 후 물기를 꼭 짠다.

무는 가늘게 채 썰고 대파는
어슷 썬다.

볼에 달걀을 풀어 달걀물을
만든다.

달군 팬에 참기름을 두르고
황태채와 무를 넣어 중간 불에서
1분간 볶는다.

④의 냄비에 물(1과 1/2컵)을
붓고 센 불로 올려 1~2분간
끓이다가 물(1과 1/2컵)을 조금
더 붓는다. 끓어오르면 1~2분
후 나머지 물(2컵)을 붓는다.

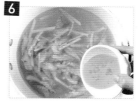

⑤의 냄비에 다진 마늘, 국간장,
새우젓을 넣고 3~4분간 끓인 후
대파를 넣고 2분간 더 끓인다.
달걀물을 둘러 넣고 30초간
끓인 후 불을 끈다.

- **· 물을 여러 번 나눠 넣으면 국물 맛이 진해져요.**
  물을 여러 번 나눠 넣는 이유는 국물이 뽀얗고 진한 황태국을 끓이기 위해서입니다.
  물 대신 다시마물을 붓고 끓이면 감칠맛이 좀 더 강한 황태국을 끓일 수 있어요.
- **· 달걀물은 먹기 직전에 두르세요.**
  달걀물을 두른 국을 자꾸 데우면 모양이 예쁘지 않으니 먹기 직전에 달걀물을 두르세요.

Tip

오징어국

오징어국은 끓여서 바로 먹는 것보다 끓여 식힌 후 한번 데워 먹는 것이
더 맛있어요. 오징어는 껍질까지 조리하면 영양분이 더 많지만, 아이들이 씹고
삼키기에 부담이 덜하도록 껍질은 벗기고 국을 끓이세요.

조리시간 30분
2~3인분

- □ 오징어 240g(1마리)
- □ 무 150g
  (지름 10cm, 두께 1.5cm 1토막)
- □ 양파 50g(1/4개)
- □ 대파 10cm
- □ 다진 마늘 1작은술
- □ 국간장 1큰술
- □ 소금 약간
- □ 물 1L(5컵)

아빠·엄마용 이렇게 만드세요!

아이가 먹을 만큼 덜어낸 후 고춧가루 조금과 청양고추 1/2개를 썰어 넣고 한소끔 끓이세요. 아이가 어리다면 오징어를 네모나게 작게 썰어 어른용과 따로 끓이세요.

1

무는 편 썰어 사방 2cm 크기로 납작하게 썬다. 양파는 채 썰고 대파는 송송 썬다.

2

오징어 몸통은 반 갈라 내장을 떼어낸 후 흐르는 물에 씻는다. 미끄러지지 않게 손에 소금을 묻혀 껍질을 벗긴다.
★ 손질된 오징어를 구입했다면 껍질만 벗긴다.

3

손질한 오징어는 5cm 길이로 굵게 채 썬다. ★ 머리 부분이 옆으로 가도록 뉘어서 썰어야 말리지 않는다.

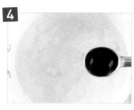

4

냄비에 물(5컵)을 붓고 무를 넣어 센 불에서 끓인다. 끓어오르면 국간장을 넣고 중간 불로 줄여 무가 하얗게 익을 때까지 10분간 끓인다.

5

④의 냄비에 오징어, 양파, 다진 마늘을 넣고 5분간 끓인다. 대파를 넣고 기호에 따라 소금으로 간을 한다.

- **오징어는 손질된 것으로 구입하세요.**
  구입할 때 원하는 모양으로 손질해달라고 하면 대부분 손질해주니 조리시간을 많이 단축할 수 있어요.
- **오징어 껍질은 키친타월로 잡고 벗겨도 됩니다.**
  미끄러운 오징어 껍질을 소금이나 키친타월로 잡고 벗기면 훨씬 쉽게 벗겨진답니다.

조개국

“ 모시조개와 바지락은 크기가 작아 아이들이 한입에 먹기 좋답니다.
껍질째 그릇에 담아내면 푸짐해 보이지만 아이가 먹기에는 불편하니
아이 국에는 속살만 발라 넣어주세요. 남은 조개 껍질은 깨끗이 씻어 말려
아이의 미술놀이 재료로 활용하면 좋습니다. ”

조리시간 25분
2~3인분

□ 해감 모시조개 200g
□ 해감 바지락 200g
□ 무 50g
　(지름 10cm, 두께 1cm 1/2토막)
□ 마늘 10g(1쪽)
□ 대파 10cm
□ 밀가루물 1큰술
　(밀가루 1/3큰술 + 물 1큰술)
□ 청주 1작은술
□ 소금 1/2작은술
□ 물 1L(5컵)

아빠·엄마용
이렇게
만드세요!

아이가 먹을 만큼 덜어낸 후
청양고추 1/2개를 썰어 넣고
한소끔 끓이세요.

모시조개와 바지락은
바락바락 문질러 깨끗하게
씻는다. 냄비에 물(5컵)을
붓고 모시조개, 바지락,
청주를 넣어 센 불에서
끓인다.

①의 조개가 입을 벌리면
불을 끄고 모시조개와
바지락을 건져낸다. 국물은
2분간 그대로 두었다가
불순물이 가라앉으면
불순물이 들어가지 않도록
살살 부어가며 고운 체에
거른다.

무는 편 썰어 사방 1.5cm
크기로 납작하게 썬다.
마늘은 얇게 편 썰고 대파는
송송 썬다.

냄비에 ②의 국물을 붓고
무를 넣어 센 불에서 끓인다.
끓어오르면 중간 불로 줄여
5분간 익힌다.

④의 냄비에 마늘, 대파,
밀가루물을 넣고 잘 섞은 후
센 불로 올려 3분간 끓인다.

⑤의 냄비에 모시조개와
바지락을 넣고 1분간 끓인 후
소금으로 간을 한다.

· **조개는 소금물에 담가 어두운 곳에서 해감시켜야 해요.** 마트에서 해감한 조개를 쉽게 구입할 수 있지만
　집에서 해감을 시킬 때는 소금물을 담은 볼에 씻은 조개를 체에 받쳐 넣고 뚜껑을 덮어 어둡게 만들어두세요.
　그러면 모래가 체 아래로 빠져나가 해감 후 손질하기가 더 편리해요. 여름철에는 냉장고에 넣어 해감하세요.
· **밀가루물이 조개의 흙냄새를 잡아줍니다.** 조개국을 끓일 때 밀가루물을 넣으면 조개의 흙냄새를
　잡아줘요. 부추를 넣어도 풍미가 좋아집니다.

굴국

❝ 굴은 바다에서 나는 우유라고 불릴 만큼 완전 단백질식품입니다.
소화도 잘 되고 식감도 부드러워 아이들이 섭취하면 좋은 영양식이지요.
한창 제철인 겨울에는 싱싱한 굴을 듬뿍 넣어 굴국을 끓여보세요.
미역을 넣고 같이 끓이면 시원하고 담백하게 즐길 수 있답니다. ❞

조리시간 30분
2~3인분

- □ 굴 200g(1봉지)
- □ 마른 실미역 5g
  (약 1줌, 손대중량 17쪽)
- □ 무 150g
  (지름 10cm, 두께 1.5cm 1토막)
- □ 두부(찌개용) 100g(큰 팩, 약 1/3모)
- □ 마늘 20g(2쪽)
- □ 대파 5cm(생략 가능)
- □ 국간장 2작은술
- □ 청주 1작은술
- □ 소금 약간 (기호에 따라 가감)
- □ 참기름 2/3큰술
- □ 물 1L(5컵)

굴은 체에 밭쳐 소금물
(물 3컵 + 소금 1작은술)에
담가 살살 흔들어 씻는다.

볼에 마른 미역을 넣고
물(2컵)을 부어 15분간
불린다. 흐르는 물에 깨끗이
씻은 후 물기를 꼭 짜고
3~4cm 폭으로 썬다.

무는 편 썰어 사방 1.5cm 크기로
납작하게 썰고, 두부는 사방
1cm 크기로 깍뚝 썬다. 마늘은
얇게 편 썰고, 대파는 송송 썬다.

달군 냄비에 참기름을 두르고
무와 마늘을 넣어 중간 불에서
3분간 볶은 후 미역을 넣고
1분간 더 볶는다.

④의 냄비에 물(5컵), 국간장,
청주를 넣고 5분간 끓인다.

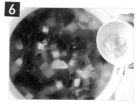

⑤의 냄비에 굴과 두부를 넣고
센 불로 올려 끓어오르면
대파를 넣고 중간 불로 줄여
3~4분간 끓인다. 기호에 따라
소금으로 간을 한다.

• **국을 끓이고 남은 굴로 전을 만들어보세요.**
밀가루를 묻힌 후 달걀물에 담가 하나씩 굽거나 달걀물에 굴을 다져 넣고 넓게 부치는 방법도
있답니다. 통째로 구운 굴전은 어른용으로, 다진 굴로 부친 것은 아이용으로 먹으면 좋아요.

Tip

콩비지찌개

"콩비지는 콩의 영양을 그대로 섭취할 수 있는 건강식이에요.
다른 반찬 없이 밥에 쓱쓱 비벼 주기만 해도 아이들이 잘 먹는답니다.
김치를 먹지 않는 아이들도 씻은 김치를 넣어 콩비지찌개를 끓여주면
거부감 없이 먹을 수 있어요."

조리시간 25분
2~3인분

- [ ] 시판용 콩비지 320g(1봉)
- [ ] 다진 돼지고기(안심) 200g
- [ ] 씻은 신배추김치 150g(1컵)
- [ ] 대파 5cm
- [ ] 참기름 1작은술
- [ ] 물 100ml(1/2컵)

돼지고기와 김치 양념
- [ ] 다진 파 1큰술
- [ ] 다진 마늘 1작은술
- [ ] 국간장 1작은술
- [ ] 청주 1작은술
- [ ] 참기름 1작은술

양념장
- [ ] 다진 파 2큰술
- [ ] 양조간장 2큰술
- [ ] 국간장 1큰술
- [ ] 고춧가루 2작은술
    (아이에 따라 가감)
- [ ] 참기름 1작은술

아빠·엄마용
이렇게
만드세요!

양념장을 반으로 나눠 어른용에
청양고추 1/2개를 다져 넣으면
얼큰하게 먹을 수 있어요.
아이가 매운 것을 잘 먹는다면
김치를 씻지 말고 속만 털어내서
사용하세요. 그러면 좀 더 매콤한
콩비지찌개가 완성됩니다.

씻은 김치는 물기를 꼭 짠 후
사방 2~3cm 폭으로 썬다.
대파는 송송 썬다.

양념장 재료를 골고루 섞는다.

돼지고기와 김치 양념을
잘 섞은 후 돼지고기와 김치를
넣고 골고루 버무린다.

달군 냄비에 참기름을 두르고
돼지고기와 김치를 넣어
중간 불에서 3분간 볶는다.

④의 냄비에 물(1/2컵)을
붓고 중간 불에서 끓어오르면
콩비지와 대파를 넣는다.
뚜껑을 덮고 약한 불로 줄여
2~3분간 끓인 후 기호에 따라
양념장을 곁들인다. ★ 냄비에
따라 익는 정도가 다르므로
시간을 조절한다.

• 집에서도 콩비지를 만들 수 있어요.
콩을 하룻밤 정도 물에 불린 후 푹 삶으세요. 삶은 콩을 믹서에 넣고 갈면 국물은 콩물이나
콩국수로 만들어 먹고, 남은 건더기는 콩비지로 쓸 수 있답니다.

달걀탕

66 달걀탕은 끓이는 방법이 너무 간단해요. 밑국물과 채소만 미리 준비해두면
순식간에 끓일 수 있지요. 그래서 바쁜 아침에 만들어 먹으면 딱 좋은
탕이랍니다. 깔끔하게 먹고 싶다면 다시마물을, 좀 더 진한 맛으로 즐기고
싶다면 멸치 국물을 사용하세요. 99

조리시간 10분
2~3인분

□ 달걀 3개
□ 양파 60g(약 1/4개)
□ 대파 10cm
□ 국간장 1작은술
□ 새우젓(또는 소금) 약간
　(기호에 따라 가감)

다시마물
□ 다시마 5×5cm
□ 미지근한 물 250ml(1과 1/2컵)

볼에 다시마물 재료를 넣고
5분 이상 우린 후 다시마를
건져내 다시마물을 만든다.

볼에 달걀을 풀어 달걀물을
만든다.

양파와 대파는 굵게 다진다.

냄비에 양파, 대파, 국간장,
새우젓, 다시마물(1과 1/2컵)을
넣고 센 불에서 끓인다.
끓어오르면 달걀물을 둘러
넣는다.

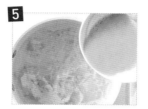

달걀물이 끓어오르면 1분간
더 끓인 후 불을 끄고 뚜껑을
덮어 뜸을 들인다.

• **멸치 국물로 끓일 때 청주를 조금 넣으면 비린 맛이 나지 않아요.**
보다 감칠맛을 내려면 다시마물 대신 멸치 국물을 쓰세요. 이때 청주를 조금 넣고 끓여
비린내를 날려버리면 좋아요. 명란젓을 넣고 만들어도 맛있어요. 간을 따로 하지 않아도
그 자체만으로 짭짤한 맛이 납니다.

Tip

소고기무국·소고기탕국

❝ 쇠고기무국과 탕국 끓이는 법은 크게 다르지 않아요. 단지 쇠고기탕국은
제사음식이라 고춧가루, 마늘, 파 등 자극적인 재료를 넣지 않을 뿐이지요.
쇠고기와 무를 참기름에 볶기도 하는데, 볶지 않고 끓였을 때 국물 맛이
더욱 깔끔하고 시원합니다.❞

소고기탕국

소고기무국

소고기무국

조리시간 35~40분
(+ 다시마물 우리기 20분)
2~3인분

- ☐ 쇠고기 양지 100g
- ☐ 무 200g
  (지름 10cm, 두께 2cm 1토막)
- ☐ 두부(찌개용) 50g(큰 팩, 1/6모)
- ☐ 대파 10cm
- ☐ 다진 마늘 1작은술
- ☐ 국간장 2작은술
- ☐ 소금 약간(기호에 따라 가감)

다시마물

- ☐ 다시마 10×10cm
- ☐ 미지근한 물 1L(5컵)

볼에 다시마물 재료를 넣고 20분 이상 우린 후 다시마를 건져내 다시마물을 만든다.

쇠고기는 찬물에 10분간 담가 핏물을 제거한 후 사방 0.7cm 크기로 썬다.

무와 두부는 사방 1cm 크기로 썰고 대파는 굵게 다진다.

냄비에 다시마물(5컵)을 붓고 쇠고기와 무를 넣어 센 불에서 5분간 끓인다. ★ 끓이는 중간 거품을 걷어낸다.

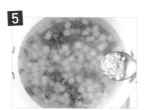

④의 냄비에 대파, 다진 마늘, 국간장을 넣고 중약 불로 줄여 15분간 끓인다.

⑤의 냄비에 두부를 넣고 중간 불로 올려 2분간 끓인 후 기호에 따라 소금으로 간을 한다.

- **쇠고기의 핏물을 제거한 후 국을 끓이면 맛이 더욱 깔끔해요.**
  쇠고기의 핏물을 깨끗이 제거하면 고기에서 누린내가 나지 않고 국물 맛이 더욱 깔끔해져요.
  시간이 없는 경우에는 그냥 끓여도 됩니다. 단, 끓이는 중간에 떠오르는 거품을 꼭 걷어내세요.

Tip

소고기탕국

조리시간 35~40분
(+ 다시마물 우리기 20분)
2~3인분

☐ 쇠고기 양지 100g
☐ 무 200g
   (지름 10cm, 두께 2cm 1토막)
☐ 두부(찌개용) 50g(큰 팩, 1/6모)
☐ 국간장 2작은술
☐ 소금 약간(기호에 따라 가감)

다시마물
☐ 다시마 10×10cm
☐ 미지근한 물 1L(5컵)

볼에 다시마물 재료를 넣고
20분 이상 우린 후 다시마를
건져내 다시마물을 만든다.

①의 다시마, 무, 두부는
사방 1cm 크기로 썬다.

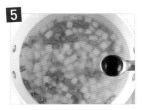

쇠고기는 찬물에 10분간 담가
핏물을 제거한 후 사방 0.7cm
크기로 썬다.

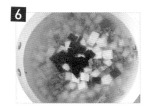

냄비에 다시마물(5컵)을 붓고
쇠고기와 무를 넣어 센 불에서
5분간 끓인다. ★ 끓이는 중간
거품을 걷어낸다.

④의 냄비에 국간장을 넣고
중약 불로 줄여 15분간 끓인다.

⑤의 냄비에 두부와 다시마를
넣고 센 불로 올려 2분간 끓인
후 기호에 따라 소금으로 간을
한다.

> 사골곰국은 하루 날 잡아 큰맘 먹고 끓여야 하는 국이지만, 일단 끓여두면
> 한동안 밥 걱정을 덜 수 있어요. 매일 먹으면 질리기 때문에 한끼 분량씩 담아
> 냉동실에 넣어두면 언제든 데워 먹을 수 있고, 육수로도 사용할 수 있어 편해요.
> 국에 밥을 말아 배추김치를 얹어주면 아이들도 김치를 잘 먹을 수
> 있답니다. 99

조리시간 6시간 20분

(＋쇠고기 핏물 제거하기 3시간)

★ 냉동 보관법 317쪽 참고

□ 쇠고기 사골 2kg
□ 쇠고기 양지머리 600g
□ 송송 썬 대파 약간
  (기호에 따라 가감)
□ 소금 약간(기호에 따라 가감)
□ 후춧가루 약간(기호에 따라 가감)

사골 삶는 물

□ 초벌용 물 5L
□ 1차용 물 6L
□ 2차용 물 6L
□ 3차용 물 4L

향신 재료

□ 대파 15cm 3대
□ 마늘 100g(10쪽)
□ 생강 5g(1/2톨)
□ 통후추 20알(1작은술)

1 사골과 양지는 각각 찬물에 3시간, 1시간 동안 담가 핏물을 제거한다. ★ 중간에 깨끗한 물로 자주 갈아준다.

2 큰 냄비에 사골을 넣고 초벌용 물(5L)을 부어 센 불에서 끓이다 끓어오르면 불순물을 걷어낸다. 체에 밭쳐 데친 물은 버리고 사골은 걸러내 찬물로 씻는다.

3 ②의 냄비를 씻은 후 사골, 양지, 향신 재료를 넣고 1차용 물(6L)을 부어 센 불에서 끓인다. 끓어오르면 불순물을 걷어내고 중약 불로 줄인 후 뚜껑을 덮어 끓인다.

4 ③의 향신 재료는 30분 후 건져내고, 양지는 1시간 후 건져내 결 반대 방향으로 얇게 편 썬다.

5 ④의 사골은 뚜껑을 덮어 1시간 정도 더 끓인다. 불순물을 걷어내고 체에 밭쳐 사골과 국물을 분리한다. ★ 국물은 볼에 담아두었다가 ⑨에서 사용한다.

6 ⑤의 냄비에 ⑤의 사골을 넣고 2차용 물(6L)을 부은 후 뚜껑을 덮어 센 불에서 끓인다.

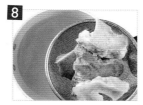

끓어오르면 불순물을
건어내고 중약 불로 줄여
2시간 동안 푹 끓인 후 체에
밭쳐 사골과 국물을 분리한다.
★ 국물은 볼에 담아두었다가
⑨에서 사용한다.

⑦의 냄비에 ⑦의 사골을
넣고 3차용 물(4L)을 부은 후
뚜껑을 덮어 센 불에서 끓인다.
끓어오르면 거품을 건어내고
중약 불로 줄여 2시간 동안
푹 끓인 후 사골만 건져낸다.

⑧의 냄비에 ⑤, ⑦의 국물을
붓고 센 불에서 한소끔 끓인
후 차갑게 식혀 표면에 뜨는
기름을 건어낸다.

작은 냄비에 ⑨의 국물과
④의 양지를 먹을 만큼만 넣고
끓인다. 먹기 직전 송송 썬
대파를 넣고 기호에 따라
소금과 후춧가루로 간을 한다.

- **사골의 핏물을 보다 깔끔하게 제거하려면 볼에 담고 물을 틀어놓아 잠시 흘러 넘치게 해주세요.**
  사골을 물에 담가 핏물을 뺀 후 냄비에 넣기 전 볼에 담아 물을 틀어 흘러 넘치게 잠시 두면 핏물과 불순물이
  더 깨끗하게 제거됩니다.

- **누린내 없이 맛있는 곰국을 끓이려면 초벌로 끓인 첫 물은 꼭 버리고 사골은 깨끗한 물로 씻어 주세요.**
  사골은 초벌로 끓인 후에 겉면에 붙어있는 지저분한 불순물을 깨끗이 씻어내야 재탕할 때 누린내가 나지 않아요.
  이때 사용한 냄비 주변에 붙은 불순물도 깨끗이 닦아줘야 해요. 또 끓이면서 위에 뜨는 불순물이나 거품도
  싹 건어내야 맛이 깔끔하답니다.

- **사골국물을 보다 진하게 먹으려면 3차용 물 대신 1차, 2차 국물을 넣고 한 번 더 끓이세요.**
  위의 레시피는 3차까지 국물을 우려 1차, 2차 국물과 섞어 먹는 방법으로 끓였는데요.
  이보다 좀 더 진한 맛을 내고 싶다면 ⑧번 과정에서 3차용 물(4L) 대신 1차(⑤번), 2차(⑦번) 국물을
  넣고 2시간 동안 끓이면 됩니다. 이때 ⑨번 과정에서 끓이는 것은 생략하되, 반드시 식혀서
  기름을 건어낸 후 ⑩번 과정처럼 끓여 드세요.

Tip

갈비탕

❝ 소갈비는 워낙 비싼 재료이기 때문에 큰맘 먹고 끓이게 되지요. 간혹 갈비값이 저렴할 때 넉넉하게 사다가 많은 양을 끓여 냉동실에 보관해두세요. 그러면 온 가족 보양식은 물론 바쁠 때나 밥 하기 싫을 때 요긴하게 쓰인답니다. ❞

조리시간 2시간 20분

(+ 쇠고기 핏물 제거하기 1시간)
★ 냉동 보관법 317쪽 참고

☐ 갈비탕용 쇠고기 1kg
☐ 물 3L

향신 재료
☐ 무 200g
　(지름 10cm, 두께 4cm 1토막)
☐ 양파 100g(1/2개)
☐ 대파(흰 부분) 30cm 2대
☐ 마늘 100g(10쪽)
☐ 통후추 20알(1작은술)

양념
☐ 국간장 1큰술
☐ 참기름 1/2큰술
☐ 소금 약간
☐ 후춧가루 약간

갈비는 기름을 떼어내고 칼집을
깊게 1~2번 정도 넣는다.
찬물에 1시간 정도 담가 핏물을
제거한다. ★ 중간에 깨끗한
물로 자주 갈아준다.

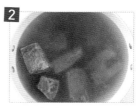

끓는 물(7컵)에 갈비를 넣고
센 불에서 끓이다 끓어오르면
2분간 데친다. 체에 밭쳐 데친
물은 버리고 갈비는 걸러낸다.

데친 갈비는 흐르는 물에 씻어
불순물을 없애고 기름기를
제거한다.

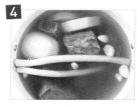

냄비에 갈비, 향신 재료를
넣고 물(3L)을 부어 센 불에서
끓인다. ★ 끓이는 중간에
불순물을 걷어낸다.

끓어오르면 뚜껑을 덮고
중약 불로 줄여 2시간 동안 푹
끓인 후 갈비와 향신 재료를
건져낸다. 국물은 차갑게 식혀
표면에 뜨는 기름을 걷어낸다.

큰 볼에 양념을 넣어 골고루
섞은 후 ⑤의 갈비를 넣고
5~10분간 재운다.
⑤의 냄비에 양념한 갈비를
넣어 센 불에서 한소끔 끓인다.

• **향신 재료를 베보에 싸서 넣으면 건질 때 편리해요.**
　국물을 낼 때 향신 재료 하나하나 꺼내는 것이 번거롭고 귀찮아요. 이때 베보에 한꺼번에 싸서
　담갔다가 국물을 우려낸 뒤에 쏙 꺼내면 편리하답니다.

chapter 03

아이와 함께 먹기 좋은
일품요리

아무리 맛있는 밥 반찬도 매일 먹다 보면 질리게 되지요.
이때 고기나 생선, 해물 등으로 일품요리를 해주면 아이는 물론 온 가족이
맛있게 잘 먹는답니다. 특히 아이가 반찬을 안 먹거나 입맛이 없어할 때
별다른 반찬 없이 밥만 곁들여도
밥 도둑 역할을 톡톡히 하지요. 만들기도 간단하고 보기에도 근사해서
손님초대상이나 남편 술안주로도 제격이랍니다.

불고기

66 불고기는 배와 양파를 넣어 부드럽게 만드는
과정이 중요합니다. 고기가 질기면 아이들은
잘 먹지 않거든요. 넉넉하게 만들어 한끼 분량씩
냉동 보관해서 드세요. 불린 당면과 물을 넣고
뚝배기불고기를 만들어도 좋습니다. 99

조리시간 30분
(+ 쇠고기 숙성시키기 1시간)

3~4인분

★ 냉동 보관법 317쪽 참고

□ 쇠고기(불고기용) 600g
□ 애느타리버섯 60g
  (약 1줌, 손대중량 17쪽)
□ 표고버섯 60g(3개)
  ★ 다른 버섯으로 대체 가능
□ 당근 30g(약 1/7개)
□ 양파 200g(1개)
□ 대파 30cm

쇠고기 밑양념
□ 배 220g(1/2개)
□ 양파 100g(1/2개)
□ 청주 1큰술

양념
□ 다진 파 4큰술
□ 다진 마늘 2큰술
□ 양조간장 6큰술
□ 아가베시럽(또는 설탕) 3큰술
□ 참기름 2큰술

믹서(또는 강판)에 쇠고기
밑양념용 배와 양파를 넣고
곱게 간다. 쇠고기를 밑양념에
버무려 10분간 재운다.

애느타리버섯은 밑동을 잘라
큰 것은 잘게 찢는다.
표고버섯은 밑동을 잘라 얇게
편 썰고, 당근은 가늘게 채 썬다.

양파는 채 썰고 대파는
어슷 썬다. 양념 재료를 골고루
섞는다.

①의 쇠고기에 양념을 넣고
3~4분간 조물조물 버무린
후 냉장고에서 1시간 정도
숙성시킨다.

팬에 쇠고기, 애느타리버섯,
표고버섯, 당근, 양파, 대파를
넣고 센 불에서 고기가 다 익을
때까지 저어가며 7분간 볶는다.
★ 고기의 익는 정도에 따라
시간을 조절한다.

Tip

• **쇠고기 양념을 만들 때 배가 없다면 마시는 배즙을 사용해도 됩니다.**
불고기 양념에 배를 갈아 넣으면 더 맛있는 건 다 아시지요? 만약 배가 없다면 마시는 배즙 1컵을 넣어도 됩니다.
추운 겨울에 쇠고기를 양념에 버무려 숙성시킬 때는 실온에 두어도 괜찮습니다.
• **불고기를 먹을 때 참기름을 곁들이면 좋아요.**
불고기는 참기름에 볶거나 찍어 먹으면 맛은 물론 영양적으로도 궁합이 잘 맞습니다. 쇠고기에는 포화지방산이
많이 들어 있는데, 불포화지방산이 함유된 식물성 기름인 참기름을 함께 먹으면 포화지방산을 희석시키는
효과가 있기 때문이지요. 맛 또한 참기름을 넣으면 풍미가 훨씬 좋습니다.

닭봉찜다

❝ 육질이 부드러운 닭봉을 찜닭으로 만들면 어른 아이 모두 부담 없이 맛있게
먹을 수 있어요. 닭고기를 먼저 먹은 다음 남은 양념에 감자, 당근, 양파를
으깨 밥을 비벼 먹어도 맛있어요. 아이가 어리다면 얇게 찢은 닭고기와 채소를
밥에 비벼 주세요. ❞

조리시간 35분
2~3인분

- ☐ 닭봉 500g(약 15개, 1팩)
- ☐ 감자 150g(약 3/4개)
- ☐ 당근 100g(1/2개)
- ☐ 양파 50g(1/4개)
- ☐ 대파 10cm
- ☐ 청주 1큰술(닭봉 데침용)

양념

- ☐ 다진 마늘 1과 1/3큰술
- ☐ 양조간장 3큰술
- ☐ 청주 1큰술
- ☐ 아가베시럽(또는 설탕) 2큰술
- ☐ 통후추 5알(1/4작은술)
- ☐ 물 400ml(2컵)

아빠·엄마용
이렇게
만드세요!

아이가 먹을 만큼 덜어낸 후
청양고추나 마른 고추 1개를 썰어
넣고 한 번 더 끓이면 칼칼하게
즐길 수 있어요. 기호에 따라 불린
당면을 넣어도 맛있습니다.

1

감자와 당근은 사방 3cm
크기로 잘라 모서리를 둥글게
깎는다. 양파는 8등분하고
대파는 송송 썬다.

2

양념 재료를 골고루 섞는다.

3

끓는 물(5컵)에 닭봉과 청주를
넣고 센 불에서 끓인다.
끓어오르면 1분간 데친 후
체에 밭쳐 물기를 뺀다.

4

③의 닭봉을 건져 체에 밭친
채 찬물에 씻어 기름기를
제거한다.

5

③의 냄비를 씻은 후 닭봉,
감자, 당근, 양념을 넣고
센 불에서 끓인다. 끓어오르면
뚜껑을 덮고 중약 불로 줄여
18분간 조린다.

6

⑤의 냄비에 양파와 대파를
넣고 뚜껑을 덮어 2분 30초간
더 조린다.

· 찜에 들어가는 감자와 당근은 모서리를 다듬어주세요.
찜요리에 들어가는 채소는 한입 크기로 자른 후 뾰족한 모서리를 둥글게 다듬어야 오랫동안
익혀도 쉽게 부스러지지 않아요. 그냥 넣으면 재료끼리 부딪히면서 모양이 흐트러지고
국물이 탁해지기 때문이지요.

닭갈비

❝ 저희 친정엄마가 만들어주시는 닭갈비 비법은 카레가루를 조금 넣는 거예요.
그러면 닭고기 특유의 비린 맛도 없어지고 춘천닭갈비처럼 맛있게 만들어져요.
아이들은 닭갈비에 밥을 볶아줘도 잘 먹어요. 깻잎이나 김에 마요네즈,
날치알을 곁들여 쌈을 싸 먹어도 색다른 맛이 납니다. ❞

어른용

아빠·엄마용
이렇게
만드세요!

어른용 닭다리살과 채소는
아이용보다 더 크게 한입 크기로
썰어도 됩니다. 깻잎을 넣기 전에
청양고추 1개를 썰어 넣으면 더
맛있어요.

아이용

조리시간 25분
2~3인분

아이용
- □ 닭다리살 150g(2개)
- □ 고구마 30g(1/5개)
- □ 당근 20g(1/10개)
- □ 양배추 30g(손바닥 크기, 약 1장)
- □ 양파 40g(1/5개)
- □ 대파 5cm □ 깻잎 1장
- □ 포도씨유 1큰술

닭다리살 밑간
- □ 소금 약간 □ 후춧가루 약간

양념
- □ 양조간장 1큰술
- □ 토마토케첩 2큰술
- □ 아가베시럽(또는 설탕) 1/2큰술
- □ 카레가루 1/3작은술
- □ 다진 마늘 1작은술
- □ 청주 1/2작은술
- □ 고추장 1/2작은술(아이에 따라 가감)

어른용
- □ 닭다리살 350g(5개)
- □ 고구마 60g(약 1/3개)
- □ 당근 45g(약 1/5개)
- □ 양배추 100g(손바닥 크기, 약 3장)
- □ 양파 50g(1/4개)
- □ 대파 10cm □ 청양고추 1개
- □ 깻잎 5장 □ 포도씨유 1큰술

닭다리살 밑간
- □ 소금 약간 □ 후춧가루 약간

양념
- □ 설탕 1큰술 □ 고춧가루 1큰술
- □ 다진 마늘 1큰술 □ 청주 1/2큰술
- □ 양조간장 2큰술 □ 고추장 2큰술
- □ 카레가루 2/3작은술
- □ 후춧가루 약간

아이용·어른용 만드는 방법 동일

양념 재료를 골고루 섞는다. 닭다리살은 사방 2cm 크기로 썰어 밑간을 한다.

고구마는 1×4cm 크기로 썰고, 당근은 부채꼴모양으로 얇게 편 썬다.

양배추와 양파는 사방 2cm 크기로 썰고 대파는 1~2cm 폭으로 채 썬다.

달군 팬에 포도씨유를 두르고 닭다리살을 넣어 중약 불에서 반 정도 익을 때까지 1분 30초간 볶는다.

④의 팬에 고구마, 당근을 넣고 1분간 볶은 후 양배추, 양파, 대파를 넣고 1분간 더 볶는다.

⑤의 팬에 양념을 넣고 3~4분간 볶다가 양념이 닭다리살에 배어들면 깻잎을 손으로 찢어 넣고 버무려 불을 끈다.

- **아이용, 어른용 동시에 만드세요.**
아이용과 어른용 만드는 방법은 동일하므로 재료 분량과 양념만 달리해 함께 만드세요.
- **닭다리살 대신 닭가슴살로 만들어도 좋아요.**
닭갈비를 만들 때 닭다리살을 사용하면 쫄깃해서 맛있는데요, 자칫 질겨서 먹기 싫어하는 아이들도 있어요. 그럴 때는 닭가슴살로 만들어도 좋아요.

닭안심 머스터드구이

❝ 머스터드소스를 발라 구운 닭안심은 어른 아이 할 것 없이 모두 좋아하는 메뉴예요. 아이 밥 반찬은 물론 남편 술안주로도 잘 어울리지요. 샌드위치 속 재료나 피자 토핑으로도 다양하게 활용할 수 있답니다. **❞**

조리시간 40분
2인분(약 9조각)

□ 닭안심 250g(약 9조각)

양념
□ 양조간장 1큰술
□ 머스터드 2큰술
□ 마요네즈 1큰술
□ 청주 1작은술
□ 아가베시럽(또는 꿀) 2작은술
□ 참기름 1작은술

닭안심은 기름과 힘줄을
제거한 후 사선 방향으로
3군데 정도 칼집을 낸다.

큰 볼에 양념 재료를 넣고
골고루 섞는다.

②에 닭안심을 넣고 버무려
30분간 재운다.

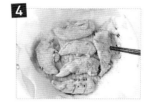

팬에 종이 포일을 깔고 ③의
닭안심을 올려 중약 불에서
소스가 졸아들 때까지 앞뒤로
뒤집어가며 7분간 노릇하게
굽는다. ★ 뚜껑을 덮어 구우면
부드럽게 익힐 수 있다. 고기의
익는 정도에 따라 시간을
조절한다.

• **팬에 종이 포일을 깔고 구우면 양념한 고기가 타지 않아요.**
종이 포일은 기름이 없어도 재료가 팬에 눌어붙는 것을 막아줘요. 만약 종이 포일을 깔지 않고
굽는다면 포도씨유를 약간 두르고 구우세요.

닭날개 양념구이

❝ 튀기지 않고 구워서 파는 치킨, 많이 사서 드시지요? 닭날개를 사용해 집에서도 간단하고 맛있게 만들 수 있답니다. 양념 맛이 좋아 아이 입맛을 돋우고 남편 술안주로도 제격이에요. 닭봉으로 만들어도 좋지만 닭날개가 양념이 더 잘 배어 맛있어요. 단, 어린 아이들은 잡고 먹기 불편하니 엄마가 살을 발라주세요. ❞

조리시간 25분

(+ 닭날개 재우기 1시간)

2인분

★ 오븐 220℃(미니 오븐 210℃)

☐ 닭날개 350g(1팩)

닭날개 밑간

☐ 우유 200ml(1컵)

☐ 소금 1작은술

☐ 후춧가루 약간

소스

☐ 토마토케첩 3큰술

☐ 고추장 1/2작은술

　(아이에 따라 가감)

☐ 다진 마늘 1작은술

☐ 양조간장 1작은술

☐ 청주 1작은술

닭날개는 밑간에 버무려
1시간 정도 재운다.

오븐은 220℃(미니오븐은
210℃)로 예열한다. 오븐팬에
종이 포일을 깔고 닭날개를
올린 후 오븐의 가운데 칸에서
15분간 굽는다.

소스 재료를 골고루 섞는다.

달군 팬에 소스를 넣고
중간 불에서 끓인다.

끓어오르면 닭날개를 넣고
소스가 졸아들 때까지
중간 불에서 1분간 조린다.

- **닭고기는 만들기 전날 미리 밑간한 후 재워 냉장 보관하면 좋아요.**
  닭고기는 닭날개 또는 닭봉을 사용하는데요, 우유에 담가두면 누린내가 없어지고 오븐에 구웠을 때
  더욱 맛있답니다. 밑간에 1~2시간 정도 재우는 것이 좋지만, 시간이 부족하다면 30분 정도만 재우세요.
- **오븐 대신 팬에 구워도 맛있어요.**
  오븐이 없는 경우 달군 팬에 포도씨유(1큰술)를 두르고 닭날개를 올려 중약 불에서 5분간 구우세요.
  약한 불로 줄인 후 뒤집어서 뚜껑을 덮고 10분간 더 구우면 됩니다.

Tip

닭안심 핑거치킨

" 아이 반찬은 물론 도시락 반찬, 남편 술안주, 파티음식 등 활용법이
다양한 메뉴예요. 집에서 닭고기를 튀기는 과정이 좀 번거롭지만 만드는
과정은 매우 간단해 손쉽게 준비할 수 있어요. 허니 머스터드소스나 토마토케첩,
칠리소스를 곁들이면 좋아요. **"**

조리시간 30분
2인분(약 7조각)

□ 닭안심 250g(약 7조각)
□ 밀가루 3큰술
□ 포도씨유 적당량

닭고기 밑간
□ 청주 1큰술
□ 마요네즈 1큰술
□ 소금 약간

소스
□ 머스터드 1큰술
□ 마요네즈 2/3큰술
□ 꿀 1/2큰술
□ 식초 1작은술

닭안심은 기름과 힘줄을
제거한 후 길게 2등분해
밑간을 한다.

소스 재료를 골고루 섞는다.

닭안심 앞뒤에 밀가루를
골고루 묻힌 후 여분의 가루를
탈탈 털어낸다.

팬(또는 작은 냄비)에
포도씨유를 붓고 센 불로 달궈
170℃로 예열한다. 닭안심을
넣고 중약 불로 줄여 5분간
노릇하게 튀긴다.

④의 닭안심을 키친타월이나
튀김망에 올려 기름기를
제거한 후 소스를 곁들인다.

• **튀김기름의 온도를 확인하려면 튀김옷을 약간 떨어뜨려 보세요.**
튀김기름의 온도는 튀김옷을 기름에 넣었을 때 떠오르는 속도로 확인할 수 있어요.
170~180℃에서는 중간까지 가라앉았다가 다시 떠오르고, 그 이하의 온도에서는 가라앉아요.
반면, 그 이상이 되면 바로 튀어 오른답니다.

Tip

닭강정

❝ 아이들 소풍갈 때 도시락 반찬으로 싸주면 좋은 닭강정.
어른들은 바삭하다 못해 딱딱하게 먹는 것을 좋아하지만,
아이들이 먹기에는 쉽지 않아 부드럽게 만들었어요. 새콤달콤하면서도
매운맛이 살짝 돌아 어른 아이 모두 맛있게 먹을 수 있답니다. ❞

조리시간 50분
2~3인분

□ 닭가슴살 200g(2조각)
□ 녹말물 4큰술
　(녹말가루 4큰술 + 물 4큰술)
□ 포도씨유 적당량
□ 다진 땅콩 2작은술(생략 가능)

닭가슴살 밑간
□ 우유 100ml(1/2컵)
□ 소금 약간
□ 후춧가루 약간

양념
□ 식초 1/2큰술
□ 토마토케첩 1과 1/2큰술
□ 아가베시럽(또는 설탕) 1큰술
□ 고추장 1/2작은술
　(아이에 따라 가감)

양념 재료를 골고루 섞는다.
볼에 녹말가루와 물을
잘 섞은 후 20분간 가만히
두어 윗물만 따라낸다.

닭가슴살은 사방 3cm 크기로
썰어 밑간에 15분간 재운다.

①의 녹말물에 닭가슴살을
넣고 앞뒤로 골고루 묻힌다.

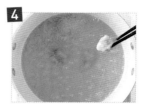

팬(또는 작은 냄비)에
포도씨유를 붓고 센 불로 달궈
170℃로 예열한다. 닭가슴살을
넣고 중간 불로 줄여 2분간
튀긴 후 튀김망에 올려 기름기를
제거한다. ★ 튀김 기름 온도
측정하기 111쪽 참고.

④의 기름을 다시 센 불로
달궈 180℃로 예열한다. 다시
닭가슴살을 넣고 중간 불로
줄여 2분간 튀긴 후 튀김망에
올려 기름기를 제거한다.

다른 팬에 양념을 넣고 약한
불에서 끓이다 끓어오르면
불을 끈다. ⑤의 닭가슴살을
넣고 버무린 후 다진 땅콩을
뿌린다.

· 고기는 두 번 튀기세요.
닭가슴살을 두 번 튀기는 이유는 첫 번째는
속까지 익히기 위해서이고, 두 번째는
튀김을 바삭하게 만들기 위해서랍니다.

Tip

폭찹

❝ 폭찹은 제가 어릴 때 엄마가 즐겨 만들어주시던 요리예요.
돼지고기 등심을 구워서 만들어도 되고 돈가스를 튀겨서 만들어도 맛있지요.
토마토소스의 새콤달콤한 맛 때문에 아이들이 잘 먹는답니다. **❞**

조리시간 25분

(+ 등심 재우기 30분)

2~3인분

☐ 돼지고기 등심(돈가스용)
   280g(4장)
☐ 양파 50g(1/4개)
☐ 빨강 파프리카 40g(1/3개)
☐ 노랑 파프리카 40g(1/3개)
☐ 밀가루 2큰술
☐ 다진 마늘 1/2큰술
☐ 포도씨유 3큰술

돼지고기 밑간

☐ 우유 50ml(1/4컵)
☐ 소금 약간
☐ 후춧가루 약간

소스

☐ 다시마물 3큰술(다시마 1×1cm
   + 미지근한 물 1/4컵)
☐ 토마토케첩 3큰술
☐ 아가베시럽(또는 설탕) 1/2큰술
☐ 양조간장 1/2작은술

양파, 빨강·노랑 파프리카는
사방 1cm 크기로 썬다.
미지근한 물에 다시마를
5분 이상 담가두어 소스용
다시마물(3큰술)을 만든다.

돼지고기는 고기용 망치(또는
칼등)로 두들긴 후 힘줄이
있다면 양쪽 끝 부분에 3군데씩
칼집을 낸다. 볼에 돼지고기와
밑간 재료를 넣고 버무려
30분간 재운다.

②의 돼지고기 앞뒤에
밀가루를 골고루 묻힌 후
여분의 가루를 탈탈 털어낸다.

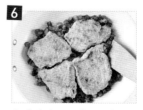

달군 팬에 포도씨유(2큰술)를
두르고 ③의 돼지고기를 올려
중간 불에서 3분, 뒤집어 2분간
노릇하게 구운 후 덜어둔다.

④의 팬을 키친타월로 닦아낸
후 포도씨유(1큰술)를 두른다.
다진 마늘을 넣고 약한 불에서
30초간 볶은 후 양파를 넣고 1분,
빨강·노랑 파프리카를 넣고
1분간 더 볶는다.

⑤의 팬에 소스 재료를 넣고
1분간 조린 후 ④의 돼지고기를
넣고 2분간 더 조린다.

· **돈가스용 돼지고기를 구입하면 고기를 한번 눌러주기 때문에 훨씬 부드러워요.**
누른 고기를 구입하지 않았다면 요리하기 전 고기용 망치나 칼등으로 골고루 두들겨
육질을 부드럽게 만들어주세요.

Tip

돼지고기 간장구이

돼지갈비가 먹고 싶을 때 만들면 좋은 요리예요. 특별한 비법이 있는 것도
아닌데 맛있답니다. 집집마다 돼지고기 부위를 다르게 사용하기도 하는데,
아이가 어리다면 육질이 부드러운 돼지고기 안심으로 만들어 보세요.

조리시간 15분
(+ 돼지고기 재우기 1시간)

2~3인분

□ 돼지고기 목살 300g
□ 사과 50g(1/4개)
□ 양파 50g(1/4개)
□ 다진 마늘 1큰술

양념

□ 양조간장 2와 1/2큰술
□ 청주 1큰술
□ 아가베시럽(또는 설탕) 1과 1/2큰술

믹서(또는 강판)에 사과와
양파를 넣어 곱게 간 후
면보에 다진 마늘과 함께 넣고
즙을 짠다.

①의 즙에 양념 재료를 넣고
골고루 섞는다.

②에 돼지고기를 넣고 골고루
주무르듯 버무려 1시간 정도
재운다.

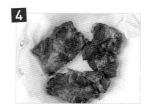

팬에 종이 포일을 깔고
돼지고기를 올려 중간 불에서
3분간 굽는다. 중약 불로 줄인
후 뒤집어 4분, 다시 뒤집어
1분간 더 굽는다.
★ 뚜껑을 덮어 구우면 좀 더
부드럽게 즐길 수 있다.
고기의 익는 정도에 따라
시간을 조절한다.

- **고기가 질기다면 파인애플즙이나 키위즙에 넣고 재우세요.**
  고기가 질긴 경우 사과와 양파 대신 파인애플과 키위를 갈아 넣고 재우면 부드러워져요.
  단, 너무 많이 넣거나 오래 재우면 육질이 부서지기 쉬우니 주의하세요. 이런 과일이 없다면
  고기용 망치나 칼등으로 두들겨도 됩니다.
- **양념이 고르게 배도록 손으로 주물러주세요.**
  아이들이 먹기 좋도록 양념을 순하게 했으니 ③번 과정에서 손으로 충분히 주물러 양념이
  고기에 잘 배도록 해주세요.

Tip

돼지고기수육

66 돼지고기수육은 김장김치를 담글 때 빼놓지 않고 만드는 음식인데요.
쉬운 것 같지만 맛있게 만들기가 은근히 어려워요. 하지만 무수분요리로 만들면
냄새 없이 야들야들 부드러운 수육을 만들 수 있답니다. 이때 바닥이 두꺼운
냄비를 사용해야 고기가 타지 않아요. 99

조리시간 75분
(+ 돼지고기 재우기 30분)

3~4인분

□ 돼지고기 통삼겹살 600g
□ 양파 350g(약 1과 3/4개)
□ 대파 15cm

돼지고기 밑간

□ 청주 5큰술
□ 소금 약간
□ 후춧가루 약간

1
돼지고기는 밑간에 버무려
30분 이상 재운다.

2
양파는 굵게 채 썰고 대파는
어슷 썬다.

3
바닥이 두꺼운 냄비에 종이
포일을 깔고 양파와 대파를
넓게 펴서 올린다. ★ 양파와
대파를 두툼하게 깔면 고기가
쉽게 타지 않는다.

4
③의 양파와 대파 위에
돼지고기의 비계와 껍질 쪽이
아래로 향하게 올리고 뚜껑을
덮어 가장 약한 불에서 1시간~
1시간 30분 정도 익힌다.
★ 고기만 건져 먹는다.

• **냄비 바닥에 양파를 두껍게 깔면 고기가 타지 않아요.**
고기가 타지 않도록 냄비에 양파를 두툼하게 깔아주세요. 돼지고기는 1~2시간 정도 밑간에
재워두는 것이 좋은데요, 시간이 부족하다면 다른 재료 준비하는 동안만이라도 재워두세요.
냄비에 돼지고기를 올릴 때는 밑간을 한 양념까지 모두 넣어도 됩니다.
• **최대한 약한 불로 줄여 익히세요.**
작은 화구의 가장 약한 불에서 오랫동안 익히세요. 그래야 타지 않고 잘 익는답니다.

Tip

돼지고기 채소볶음

❝ 고기와 채소가 어우러져 아이들 영양식으로 좋은 메뉴예요. 돼지고기를 각종 채소와 함께 볶아 쫄깃하면서 아삭한 맛을 즐길 수 있지요. 보통 이런 볶음 요리에 염도가 높은 굴소스를 많이 쓰는데요, 이 메뉴는 굴소스를 넣지 않고도 충분히 감칠맛이 나 온 가족이 맛있게 먹을 수 있어요. **❞**

조리시간 30분

2~3인분

- ☐ 돼지고기(잡채용) 300g
- ☐ 빨강 파프리카 40g(1/3개)
- ☐ 노랑 파프리카 40g(1/3개)
- ☐ 대파 8cm
- ☐ 부추 45g(10줄기)
- ☐ 녹말가루 2큰술
- ☐ 포도씨유 1큰술
- ☐ 소금 약간(기호에 따라 가감)

양념
- ☐ 양조간장 2큰술
- ☐ 아가베시럽(또는 설탕) 1큰술
- ☐ 다진 마늘 1작은술
- ☐ 청주 1작은술
- ☐ 참기름 1작은술

큰 볼에 양념 재료를 넣고
골고루 섞는다.

빨강·노랑 파프리카와
대파는 4cm 길이로 채 썰고
부추는 4cm 길이로 썬다.

①에 돼지고기를 넣고 버무려
15분간 재운 후 녹말가루를
넣고 골고루 버무린다.

달군 팬에 포도씨유를 두르고
대파를 넣어 중간 불에서
30초간 볶는다. 돼지고기를
넣고 80% 정도 익을 때까지
3분 30초간 볶는다.

④의 팬에 빨강·노랑
파프리카를 넣고 2분간 볶은
후 부추를 넣고 30초간 더
볶는다. 기호에 따라 소금으로
간을 한다.

아빠·엄마용 이렇게 만드세요!

아이가 먹을 만큼 덜어낸 후
청양고추 1/2개를 다져 넣고
한 번 더 볶으면 매콤하게 즐길
수 있어요. 대형마트나 백화점
냉동코너에서 판매하는 꽃빵을
쪄서 곁들여도 좋습니다.

돼지고기 과일탕수육

❝ 저는 돈가스를 만들 때 탕수육도 함께 만들어요. 돈가스용 고기를 우유에 재워 두었다가 돈가스 만들고 남겨둔 몇 장을 탕수육용으로 사용한답니다. 이렇게 돈가스용 고기로 만들면 육질이 부드러워 따로 소스를 곁들이지 않아도 맛있게 먹을 수 있어요. 밥 반찬이나 간식으로도 먹기 좋아요. ❞

조리시간 40~45분
2인분

- ☐ 돼지고기 등심(돈가스용)
  280g(4조각)
- ☐ 녹말가루 2큰술(돼지고기 묻힘용)
- ☐ 포도씨유 적당량

돼지고기 밑간

- ☐ 우유 50ml(1/4컵)
- ☐ 소금 약간
- ☐ 후춧가루 약간

튀김옷

- ☐ 녹말가루 1/2컵
- ☐ 물 100ml(1/2컵)
- ☐ 달걀 1/2개분

소스

- ☐ 다시마물 1컵(다시마 5×5cm
  + 미지근한 물 1컵)
- ☐ 양파 50g(1/4개)
- ☐ 빨강 파프리카 40g(1/3개)
- ☐ 사과 50g(1/4개)
- ☐ 귤 100g(1개)
- ☐ 식초 2큰술
- ☐ 양조간장 1큰술
- ☐ 토마토케첩 1큰술
- ☐ 아가베시럽(또는 설탕) 2큰술
- ☐ 녹말물 1작은술
  (녹말가루 1작은술 + 물 1작은술)

돼지고기 등심은 새끼손가락 크기로 썬 후 밑간에 버무려 20분간 재운다.

볼에 튀김옷용 녹말가루(1/2컵), 물(1/2컵)을 넣고 잘 섞어 20분간 그대로 둔다. 윗물만 따라낸 후 달걀을 넣고 잘 섞어 튀김옷을 만든다.

미지근한 물에 다시마를 10분 이상 담가두어 소스용 다시마물을 만든다.

소스용 양파와 빨강 파프리카는 사방 1.5~2cm 크기로 썬다. 사과는 사방 3cm 크기로 납작하게 썰고, 귤은 껍질을 벗겨 한 쪽씩 떼낸다.

①의 돼지고기는 물기를 제거하고 녹말가루(2큰술)를 묻힌 후 ②의 튀김옷을 입힌다.

팬에 포도씨유를 붓고 센 불로 달궈 170℃로 예열한다. ⑤의 돼지고기를 넣고 중간 불로 줄여 2분간 튀긴 후 튀김망에 올려 기름기를 제거한다.
★ 튀김 기름 온도 측정하기 111쪽 참고.

⋯⋯▶ next page

⑥의 기름을 센 불로 달궈 180℃로 예열한다. 다시 돼지고기를 넣고 중간 불로 줄여 2분간 튀긴 후 튀김망에 올려 기름기를 제거한다.

냄비에 ③의 다시마물(1컵), 식초, 양조간장, 토마토케첩, 아가베시럽을 넣고 센 불에서 끓인다.

끓어오르면 양파, 빨강 파프리카, 사과, 귤을 넣고 중간 불로 줄여 1분간 끓인다.

⑨의 냄비에 녹말물(넣기 전에 한 번 섞을 것)을 넣고 약 30초간 젓다가 농도가 나면 불을 끈다. 접시에 튀긴 돼지고기를 담고 소스를 곁들인다.

- **찹쌀탕수육처럼 쫀득하게 만들고 싶다면 달걀 흰자만 사용하세요.**
  녹말가루 1컵과 물 1컵을 섞어 20분간 가라앉힌 후 달걀 흰자(1개분)를 넣고 잘 섞어 튀김옷을 만드세요. 튀김옷을 입힌 고기를 두 번 튀기면 속이 쫀득하면서도 겉은 바삭한 탕수육이 완성된답니다. 과일은 파인애플, 키위, 복숭아 등 다양하게 사용하세요.
- **튀김할 땐 기름 온도를 잘 맞춰야 해요.**
  튀김 기름은 센 불에서 달군 후 튀길 때는 중간 불로 줄여 튀기세요. 너무 낮은 온도에서 튀기면 눅눅하게 되고, 너무 높은 온도에서 튀기면 겉만 타기 쉬워요.

Tip

❝ 고등어나 갈치 한 마리만 있으면 한끼는 거뜬히 해결할 수 있지요. 생선을 굽기 전 밀가루를 묻히면 껍질이 지저분하게 벗겨지지 않고 바삭하게 구워져 맛있습니다. 생선에 한 번 묻힌 밀가루는 버리기는 아깝고 다른 요리에는 쓸 수 없으니 따로 담아 냉동실에 넣어 생선용으로 두고 쓰면 좋아요. ❞

■ 갈치구이

■ 고등어구이

고등어구이

조리시간 30~35분
2~3인분

- □ 고등어(구이용, 소금 뿌리지
  않은 것) 300g(1마리)
- □ 포도씨유 1큰술
- □ 굵은 소금 약간

고등어 밑간
- □ 청주 2/3큰술
- □ 소금 2/3작은술

1 구이용으로 손질된 고등어를
준비해 깨끗이 씻은 후
키친타월로 물기를 제거한다.
등쪽에 사선 방향으로 3군데
칼집을 낸다.

2 ①의 고등어를 밑간에 15분간
재운 후 물기를 털어낸다.

3 달군 팬에 포도씨유를 두르고
고등어 등쪽부터 올린 후
굵은 소금을 뿌려가며 중간
불에서 3분간 굽는다. 중약 불로
줄인 후 뒤집어 5분, 다시
뒤집어 2분간 노릇하게 굽는다.

• 고등어는 구이용으로 손질된 것을 구입하면 편리해요.
고등어를 구입할 때는 구이용으로 손질해달라고 하세요. 조리하면서 밑간을 따로
하기 때문에 소금은 뿌리지 말라고 미리 말하세요.

Tip

갈치구이

조리시간 30~35분
2~3인분

□ 갈치 3토막
□ 밀가루 1큰술
□ 포도씨유 1큰술
□ 굵은 소금 약간

갈치 밑간

□ 청주 2/3큰술
□ 소금 2/3작은술

갈치는 깨끗이 씻어
키친타월로 물기를 제거한 후
한쪽 면에 ×자로 칼집을 낸다.

①의 갈치를 밑간에 15분간
재운 후 물기를 털어낸다.

②의 갈치 앞뒤에 밀가루를
골고루 묻힌다. 여분의 가루를
탈탈 털어낸 후 5분간 그대로
둔다.

달군 팬에 포도씨유를 두르고
갈치를 올린 후 굵은 소금을
뿌려가며 중간 불에서 3분간
굽는다. 중약 불로 줄인 후
뒤집어 5분, 다시 뒤집어 1분간
노릇하게 굽는다.

• **생선에 밀가루를 묻히면 바삭하게 구워져요.**
생선에 밀가루를 입혀 구우면 모양이 흐트러지지 않으면서 바삭하게 구워져 더욱 맛있답니다.
또한 생선 표면의 물기를 밀가루가 흡수해 기름도 덜 튀지요. 단, 여분의 가루를 털어내야
깔끔한 생선구이가 됩니다. 갈치 외에 병어나 가자미 등을 구울 때도 밀가루를 묻혀보세요.

카레삼치구이

❝ 고등어, 삼치 같은 등푸른 생선은 몸에는 좋지만 자칫 비릴 수 있어요.
전 어릴 적에 비린내가 조금이라도 나는 생선은 입에 대지 않았는데요,
그럴 때마다 친정엄마가 카레가루 섞인 밀가루 옷을 입혀 구워주셨어요.
튀긴 것처럼 질감도 바삭하고 비리지도 않아 까탈스러운 입맛에도
잘 맞았답니다. ❞

조리시간 30~35분
2~3인분

□ 삼치 170g(1/2마리)
□ 카레가루 2작은술
□ 밀가루 1작은술
□ 포도씨유 1큰술
□ 굵은 소금 약간

삼치 밑간

□ 청주 2/3큰술
□ 소금 1/2작은술

1

삼치는 깨끗이 씻어
키친타월로 물기를 제거한 후
등쪽에 사선 방향으로 3군데
칼집을 낸다.

2

①의 삼치를 밑간에 15분간
재운 후 물기를 털어낸다.

3

넓은 접시에 카레가루와
밀가루를 섞은 후 삼치 앞뒤에
골고루 묻힌다. 여분의 가루를
탈탈 털어낸 후 5분간 그대로
둔다.

4

달군 팬에 포도씨유를 두르고
삼치 등쪽부터 올린 후 굵은
소금을 뿌려가며 중간 불에서
3분간 굽는다. 약한 불로
줄인 후 뒤집어 4분, 다시 뒤집어
2분간 노릇하게 굽는다.

• **생선을 껍질이 벗겨지지 않게 굽는 방법을 알려드릴게요.**
  생선을 예쁘게 굽는 것도 요령이 있습니다. 먼저 생선을 깨끗이 씻은 후 키친타월로
  앞뒷면 모두 꾹꾹 눌러 물기를 최대한 제거하세요. 물기가 남아있으면 껍질이 벗겨지기 쉽고
  비린내도 날 수 있어요. 팬이 제대로 달궈지지 않으면 껍질이 벗겨지기 쉬우니 충분히
  달군 후 포도씨유를 두르고 한 번 더 달구세요. 생선의 껍질 쪽부터 바닥에 닿게 올리고
  중간 불에서 최소 1분 이상 그대로 두었다가 뒤집으세요. 너무 빨리 뒤집거나 팬을 흔들면
  껍질이 벗겨지기 쉬우니 주의하세요. 혹 생선의 살이 두껍다면 겉면이 모두 노릇하게 익은 후
  뚜껑을 덮고 중약 불에서 2분 정도 익히면 속살까지 부드럽게 익힐 수 있어요.
  마지막에 다시 뚜껑을 열어 센 불에서 앞뒷면을 한 번 더 바삭하게 구우면 모양도 맛도 좋은
  생선구이를 만들 수 있답니다.

Tip

갈치조림

" 매년 여름에서 가을로 넘어갈 무렵이면 갈치철인데요, 이때쯤이면
밥상에 갈치구이와 갈치조림이 자주 올라옵니다. 부드럽고 담백한 갈치에
고춧가루 양념을 넣고 달큼한 무를 넣어 함께 조리면 단맛이 배어 나와
한결 맛있어요. 무 대신 감자를 넣어도 좋아요. "

조리시간 45~50분
2~3인분

□ 갈치 3토막
□ 무 200g
   (지름 10cm, 두께 2cm 1토막)
□ 양파 100g(1/2개)
□ 대파 10cm
□ 국간장 1작은술
□ 양조간장 1작은술
□ 다시마물 1컵(다시마 5×5cm
   + 미지근한 물 1컵)

갈치 밑간
□ 청주 2/3큰술
□ 소금 2/3작은술

양념
□ 다진 마늘 1큰술
□ 청주 1큰술
□ 양조간장 1과 1/2큰술
□ 국간장 1/2큰술
□ 아가베시럽(또는 설탕) 1큰술
□ 고춧가루 1/2작은술
   (아이에 따라 가감)
□ 다진 생강(또는 생강가루) 약간
   (생략 가능)

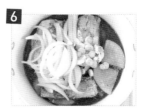

갈치는 깨끗이 씻어 밑간에
15분간 재운다. 미지근한 물에
다시마를 10분 이상 담가두어
다시마물을 만든다.

무는 1cm 두께의 부채꼴
모양으로 썬다. 양파는 굵게
채 썰고 대파는 송송 썬다.

양념 재료를 골고루 섞는다.

바닥이 두꺼운 냄비에 무,
국간장, 양조간장, 다시마물
(1컵)을 넣고 센 불에서 끓인다.
끓어오르면 중약 불로 줄여
10분간 끓인다.

④의 냄비에 갈치를 넣고
양념을 부어 센 불로 올려
끓인다. 끓어오르면 중약 불로
줄여 10분간 끓인다.
★ 끓이면서 국물을 끼얹는다.

⑤의 냄비에 양파와 대파를
넣고 약한 불로 줄여 2분간
끓인다.

· **무를 먼저 익힌 후 갈치를 넣고 조리세요.**
무와 갈치는 익는 속도가 달라 함께 넣고 조리게 되면 생선살이 퍽퍽해집니다. 이 때문에
무를 먼저 넣고 반 이상 익힌 후 생선을 넣는 것이 좋아요. 갈치는 국물이 팔팔 끓을 때 넣어야
단백질이 응고되어 살이 부스러지지 않습니다.

Tip

고등어 김치조림

❝ 고등어조림은 신선한 생물고등어로 만들어야 비리지 않아요.
묵은 김치와 고등어를 한데 넣어 바글바글 끓여내면 보고만 있어도 군침이
돌지요. 고등어 속살을 발라 밥 위에 얹고 그 위에 김치를 얹어주면
아이들도 잘 먹는답니다. 아이가 김치를 잘 먹는다면 양념만 털어낸 후
씻지 않고 사용해도 좋아요. **❞**

조리시간 35~40분
2~3인분

- □ 고등어(조림용, 소금 뿌리지
    않은 것) 300g(1마리)
- □ 씻은 신김치 300g(2컵)
- □ 양파 100g(1/2개)
- □ 대파 10cm
- □ 다시마물 2와 1/2컵(다시마
    5×5cm + 미지근한 물 2와 1/2컵)
- □ 국간장 1/3큰술
- □ 청주 1/2큰술
- □ 된장 1과 1/3큰술

고등어 밑간
- □ 청주 1큰술
- □ 소금 2/3작은술

신김치 밑간
- □ 다진 마늘 1작은술
- □ 아가베시럽(또는 설탕) 1/2작은술

조림용으로 손질된 고등어를
준비해 깨끗이 씻은 후 밑간에
15분간 재운다. 미지근한 물에
10분 이상 다시마를 담가두어
다시마물을 만든다.

양파는 채 썰고, 대파는 송송
썬다.

씻은 신김치는 물기를 꼭
짠 후 5cm 폭으로 썰어 밑간에
조물조물 무친다.

바닥이 두꺼운 냄비에 신김치,
다시마물(2와 1/2컵)을 넣고
센 불에서 끓이다 끓어오르면
고등어를 넣는다.

④의 냄비에 국간장, 청주,
된장을 넣고 끓어오르면
중간 불로 줄여 7분간 익힌다.
★ 끓이면서 국물을 끼얹는다.

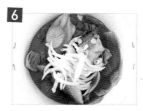

국물이 자작하게 졸아들면
양파와 대파를 넣고 2분간
끓인다.

- · **고등어는 소금을 뿌리지 않은 조림용으로 구입하세요.**
    마트에서 조림용으로 손질해달라고 하면 몸통을 3~4토막으로 잘라줍니다.
    고등어는 꼭 국물이 끓어오를 때 넣어야 단백질이 응고되어 살이 부스러지지 않아요.
    김치와 같이 먹어도 맵지 않아 아이들도 잘 먹습니다.

Tip

오징어조림

66 오징어조림은 고소한 버터 향 때문에 자꾸 손이 가게 되는 메뉴예요.
시판 조미오징어 같은 맛이 나기도 해 남편 술안주로도 좋지요.
오징어는 가늘게 채 썰어야 아이들도 부담 없이 먹을 수 있고 금세 익어
질겨지지 않아요. 따뜻할 때 먹으면 부드러워 더 맛있답니다.99

조리시간 25분
2~3인분

- □ 오징어 몸통(중간 크기)
  100g(1마리)
- □ 마늘 10g(1톨)
- □ 대파 10cm
- □ 버터 10g(1큰술)

양념

- □ 양조간장 1큰술
- □ 아가베시럽(또는 설탕) 1큰술
- □ 청주 1작은술

아빠·엄마용
이렇게
만드세요!

아이가 먹을 만큼 덜어낸 후
풋고추나 청양고추를 썰어 넣고
한번 더 볶으면 남편의 술안주로
매콤하게 즐길 수 있어요.

마늘은 얇게 편 썰고, 대파는
송송 썬다.

오징어는 몸통을 반 갈라
내장을 떼어낸 후 흐르는 물에
씻는다. 미끄러지지 않도록
손끝에 소금을 묻혀 오징어
껍질을 벗긴다. ★ 손질된
오징어를 구입했다면 껍질만
벗긴다.

손질한 오징어는 길게
2등분해 가늘게 채 썬다.

양념 재료를 골고루 섞는다.

달군 팬에 버터를 넣어 녹인
후 마늘과 대파를 넣고 중약
불에서 1분간 볶는다.

⑤의 팬에 양념을 넣고
끓어오르면 오징어를 넣고
3분간 볶는다.

• **오징어 껍질은 키친타월로 잡고 벗겨도 됩니다.**
미끄러운 오징어 껍질을 소금이나 키친타월로 잡고 벗기면 훨씬 쉽게 벗겨진답니다.

새우마요네즈

" 새우마요네즈는 탕수육 다음으로 아이들이 좋아하는 중국요리예요.
한 접시 시켜도 몇 개 되지 않아 아이만 먹이고 어른은 맛도 못 보는 경우가 많지요.
하지만 냉동 새우를 사서 집에서 만들면 온 가족 모두 실컷 먹을 수 있어요.
아이 생일파티 메뉴로도 인기만점이랍니다. "

조리시간 30분
2〜3인분

☐ 냉동 생칵테일새우살(킹사이즈)
  200g(약 18마리)
☐ 땅콩(또는 아몬드) 약간
☐ 청주 1큰술(새우살 밑간용)
☐ 포도씨유 적당량

튀김옷
☐ 녹말가루 4큰술
☐ 달걀 흰자 1개분
☐ 소금 약간

소스
☐ 파인애플 링 100g(1개)
☐ 마요네즈 3큰술
☐ 아가베시럽(또는 설탕) 1큰술
☐ 레몬즙 1작은술

1 새우살은 소금물(물 3컵 +
소금 1/2작은술)에 담가 반쯤
해동한다. 길게 반으로 칼집을
넣어 넓게 펼친 후 청주를 뿌려
5분간 재운다.

2 소스용 파인애플 링은
1cm 폭으로 썬다. 땅콩은
키친타월을 깔고 큼직하게
다진다.

3 볼에 튀김옷 재료를 넣고 잘
섞은 후 새우살을 넣어 골고루
묻힌다.

4 작은 냄비에 포도씨유를 붓고
센 불로 달궈 180℃로 예열한다.
새우살을 넣고 중간 불로 줄여
2분 30초간 튀긴 후 튀김망에
올려 기름기를 제거한다.
★ 튀김 기름 온도 측정하기
111쪽 참고.

5 팬에 소스 재료를 모두
넣고 약한 불에서 끓인다.
끓어오르면 새우살을 넣고
불을 끈 채 골고루 버무린 후
다진 땅콩을 뿌린다.

• **새우살을 반쯤 해동시킨 후 길게 반으로 칼집을 넣으세요.**
새우 등쪽에 칼집을 넣어 넓게 펼치는 이유는 양도 푸짐해 보이고 아이가 좀 더 먹기 좋게
하기 위해서지요. 완전히 해동한 후에 새우를 가르는 것보다 반쯤 해동되었을 때 가르는 것이
더 쉬워요.

깐쇼새우

❝ 깐쇼새우는 아이 간식은 물론 남편 술안주나 손님 초대요리로 제격이에요.
얼핏 보면 어려워 보이지만 튀기는 번거로움만 감수하면 의외로 간단히
만들 수 있지요. 새우는 키토산을 많이 함유하고 있는 저칼로리 고단백질
식품으로 아이들의 영양까지 골고루 챙길 수 있답니다. **❞**

조리시간 30분
2~3인분

□ 냉동 생칵테일새우살
　(킹사이즈) 200g(약 18마리)
□ 청주 1큰술(새우살 밑간용)
□ 포도씨유 적당량

튀김옷
□ 녹말가루 4큰술
□ 달걀 흰자 1개분
□ 소금 약간

소스
□ 양파 40g(1/5개)
□ 빨강 파프리카 35g(약 1/4개)
□ 노랑 파프리카 35g(약 1/4개)
□ 대파 10cm
□ 포도씨유 1큰술(채소 볶음용)
□ 다진 생강 약간(생략 가능)
□ 다진 마늘 1작은술
□ 다시마물 1큰술(다시마 1×1cm
　+ 미지근한 물 1/4컵)
□ 양조간장 1과 1/2큰술
□ 식초 1과 1/2큰술
□ 아가베시럽(또는 설탕) 1과 1/2큰술
□ 청주 1/2작은술

아빠·엄마용 이렇게 만드세요!

매운맛을 내고 싶다면 아이용으로 소스의 1/3분량을 덜어낸 후 작은 태국 고추나 마른 고추 1개를 부수어 넣고 한 번 더 볶으세요. 태국 고추는 대형마트에서도 쉽게 구할 수 있답니다.

새우살은 소금물(물 3컵 + 소금 1/2작은술)에 담가 반쯤 해동한다. 길게 반으로 칼집을 넣어 넓게 펼친 후 청주를 뿌려 5분간 재운다.

소스용 양파와 빨강·노랑 파프리카는 굵게 다진다. 대파는 사방 1cm 크기로 썬다. 미지근한 물에 다시마를 5분 이상 담가두어 소스용 다시마물(1큰술)을 만든다.

볼에 튀김옷 재료를 넣고 잘 섞은 후 새우살을 넣어 골고루 묻힌다.

작은 냄비에 포도씨유를 붓고 센 불로 달궈 180℃로 예열한다. 새우살을 넣고 중간 불로 줄여 2분 30초간 튀긴 후 튀김망에 올려 기름기를 제거한다.
★ 튀김 기름 온도 측정하기 111쪽 참고.

달군 팬에 포도씨유(1큰술)를 두르고 다진 생강과 다진 마늘을 넣어 중약 불에서 30초간 볶은 후 대파를 넣고 30초, 양파를 넣고 1분간 볶는다. 중간 불로 올려 빨강·노랑 파프리카를 넣고 1분간 더 볶는다.

⑤의 팬에 다시마물, 양조간장, 식초, 아가베시럽, 청주를 넣고 센 불로 올려 끓어오르면 튀긴 새우를 넣고 버무린 후 불을 끈다.

새우케첩볶음

❝ 새우케첩볶음은 냉동실에 새우만 있다면 언제든 만만하게 만들 수 있는 메뉴예요. 새우 크기에 따라 반을 자르기도 하지만 크기가 작다면 통째로 요리해도 좋아요. 볶음에 들어가는 채소는 집에 남아있는 자투리 채소를 활용해서 자유롭게 만드세요. **❞**

조리시간 30분

2~3인분

- □ 냉동 생칵테일새우살(킹사이즈)
  200g(약 18마리)
- □ 양파 50g(1/4개)
- □ 빨강 파프리카 30g(1/5개)
- □ 노랑 파프리카 30g(1/5개)
- □ 마늘 20g(2쪽)
- □ 포도씨유 1작은술

소스

- □ 토마토케첩 3큰술
- □ 아가베시럽(또는 설탕) 1/2큰술
- □ 양조간장 2/3작은술
- □ 청주 1/2작은술
- □ 고추장 1/4작은술
  (아이에 따라 가감)

양파와 빨강·노랑 파프리카는 사방 2cm 크기로 썰고 마늘은 얇게 편 썬다.

새우살은 소금물(물 3컵 + 소금 1/2작은술)에 담가 반쯤 해동한 후 길게 반으로 칼집을 넣어 넓게 펼친다.

소스 재료를 골고루 섞는다.

달군 팬에 포도씨유를 두르고 마늘을 넣어 중약 불에서 30초간 볶는다.

④의 팬에 양파를 넣고 30초간 볶은 후 빨강·노랑 파프리카, 새우살을 넣고 중간 불로 올려 1분 30초간 볶는다.

⑤의 새우살이 반 정도 익으면 소스를 넣고 2분간 더 볶는다.

- **토마토케첩은 충분히 볶아야 신맛이 날아가요.**
  토마토케첩은 맛이 새콤달콤해 새우요리와 잘 어울리는데요, 특유의 신맛이 싫다면 충분히 볶으세요. 그러면 신맛이 금세 날아갑니다.

가리비찜·전복볶음

가리비찜

전복볶음

66 맛과 영양에 비해 손이 많이 가지 않는 초간단 메뉴예요. 가리비는 찐 후
관자를 결대로 찢어 아이에게 먹이면 식감이 쫄깃하고 부드러워 맛있게
잘 먹어요. 전복도 생으로 먹는 것보다 살짝 볶은 것이 질기지 않고 부드러워
아이와 어른 모두의 보양식으로 그만이랍니다. 99

가리비찜

조리시간 20분
2～3인분

□ 가리비 1kg(약 12～13개)

가리비는 안 쓰는 칫솔을
이용해 껍질을 씻는다.

김이 오른 찜기에 가리비를
넣고 찐다. 김이 차오르면
입을 벌릴 때까지 센 불에서
7분간 익힌다.

• **아이가 먹을 때는 관자만 잘라서 주세요.**
남은 껍질은 깨끗하게 씻어 말린 후 껍질에
그림을 그리게 하면 좋은 미술도구가 됩니다.

전복볶음

조리시간 20분
2～3인분

□ 전복 300g(약 4～5개)
□ 양파 50g(1/4개)
□ 참기름 2작은술
□ 소금 약간

전복은 안 쓰는 칫솔을 이용해
구석구석 이물질을 닦는다.
살과 내장 사이에 숟가락을
넣고 힘을 주어 살을 들어내듯
분리한다. ★ 가위를 이용해
껍질에 붙어 있는 관자를
잘라도 된다.

내장   살
입

관자에 붙어 있는 내장을
잘라낸 후 전복의 입을
V자 모양으로 자르고 잘라낸
입 부분을 눌러 선홍빛의
불순물을 제거한다.

• **참기름 대신 버터를**
사용해도 좋아요.
전복을 참기름에 볶으면
깔끔한 맛이 나는데요, 색다른
맛을 내고 싶다면 참기름
대신 버터를 녹여 양파와 함께
볶으세요. 파프리카가 있다면
양파와 함께 넣으세요.

손질한 전복은 2cm 폭으로
편 썰고 양파는 사방 2cm
크기로 썬다.

달군 팬에 참기름을 두르고
양파를 넣어 중간 불에서 1분간
볶은 후 전복과 소금을 넣고
1분 30초간 가볍게 볶는다.

chapter 04

아이와 함께 먹기 좋은
한 그릇 요리

매일 먹는 밥·국·반찬 대신 간편하게 만드는 한 그릇 요리.
별 다른 반찬이 없어도 한끼 식사에 필요한 영양이
한 그릇에 고스란히 담겨 있어
균형 잡힌 한끼 식사로 손색이 없답니다.
다양한 재료를 이용한 일품 밥 요리부터
후루룩 먹다 보면 한 그릇 뚝딱 비우게 되는 면 요리까지.
한가로운 주말 느지막이 일어나 온 가족이 함께 먹는 브런치나
엄마가 밥하기 귀찮은 날 아주 요긴하게 활용할 수 있는 요리예요.

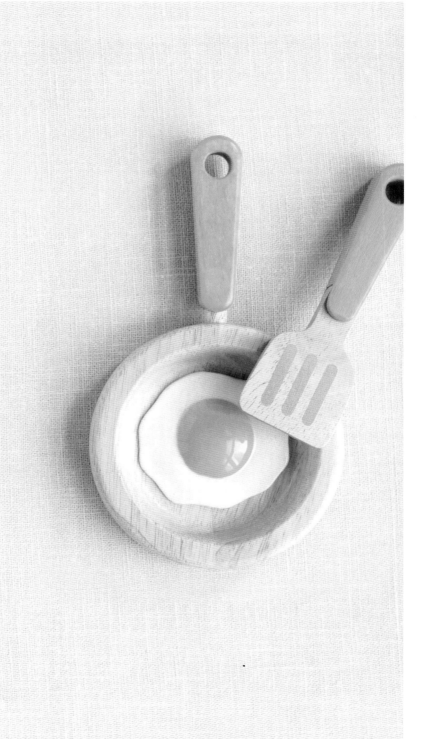

무밥

" 별 다른 반찬 없이도 맛있게 먹을 수 있는 무밥. 깨끗해 보이는 만큼 소화도 잘 되고 맛이 담백해 어른 아이 모두 먹기 좋은 영양밥이에요. 겨울철에는 무와 굴을 함께 넣어 밥을 짓고, 봄철에는 송송 썬 달래를 양념장에 넣어 무밥에 비벼 드세요. **"**

어른용

아이용

조리시간 25분(+ 쌀 불리기 20분)
4인분

- ☐ 쌀 340g(2컵)
- ☐ 무 150g
  (지름 10cm, 두께 1.5cm 1토막)
- ☐ 물 320ml(약 1과 2/3컵)

아이용 양념장

- ☐ 생수 1큰술
- ☐ 양조간장 1큰술
- ☐ 아가베시럽(또는 설탕) 1/2큰술
- ☐ 참기름 1/4큰술
- ☐ 통깨 1큰술

어른용 양념장

- ☐ 생수 1큰술
- ☐ 양조간장 3큰술
- ☐ 참기름 1/4큰술
- ☐ 통깨 1큰술
- ☐ 고춧가루 1큰술
- ☐ 송송 썬 쪽파 2큰술

쌀은 깨끗이 씻은 후 물에
20분간 불린다.

무는 3~4cm 길이로 가늘게
채 썬다.

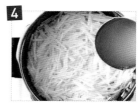

어른용과 아이용 양념장 재료를
각각 골고루 섞는다.

바닥이 두꺼운 냄비에 불린
쌀을 넣고 무를 올린 후 물
(약 1과 2/3컵)을 붓고 뚜껑을
덮어 센 불에서 끓인다.

끓어오르면 약한 불로 줄여
12분간 더 끓인 후 불을
끄고 뚜껑을 덮은 채 5분간
뜸을 들인다. 밥과 무를 잘
섞어 그릇에 담고 양념장을
곁들인다.

- **겨울철에는 굴을 넣어서 굴무밥을 만들어보세요.**
  우선 ④번 과정까지 만든 후 약한 불로 줄여 10분간 끓이세요. 그 다음 굴을 넣고 2분간 더 끓이다가
  불을 끄고 5분간 뜸들이면 됩니다.
- **평소 밥 지을 때보다 물을 적게 넣으세요.**
  무에서 수분이 나오기 때문에 평소 넣는 물의 양보다 적게 넣어야 밥이 질어지지 않아요.

❝ 전날 재료만 준비해두면 바쁜 아침에 후다닥 10분만에도
만들 수 있는 초간단 비빔밥. 만들기 쉬울 뿐 아니라 영양의 균형도
잘 갖춰진 음식이에요. 아이가 밥을 잘 먹지 않을 때나 입맛 없어할 때
만들어주는 것도 좋아요. 어른들은 고추장, 조금 큰 아이들은
고추장 대신 간장을 넣어 비벼주면 맛있게 잘 먹는답니다. ❞

조리시간 25분
2~3인분

☐ 밥 2공기(400g)
☐ 다진 쇠고기 75g
☐ 당근 50g(약 1/4개분)
☐ 애호박 70g(약 1/4개분)
☐ 달걀 2~3개
☐ 소금 약간
☐ 조미 김가루 약간
☐ 참기름 약간
☐ 포도씨유 4작은술

쇠고기 양념

☐ 양조간장 1/2큰술
☐ 아가베시럽(또는 설탕) 1/4작은술

아빠·엄마용
이렇게
만드세요!

어른용은 채소를 채 썰고,
기호에 따라 고추장을 넣고
비벼 먹으면 맛있어요.

1 볼에 쇠고기와 쇠고기 양념 재료를 넣고 버무려 재운다.

2 당근, 애호박은 잘게 다진다.

3 달군 팬에 포도씨유(1작은술씩)를 두른 후 당근, 애호박을 각각 넣고 중약 불에서 1분간 볶아 덜어둔다. 볶을 때 소금을 약간씩 뿌린다.

4 ③의 팬을 키친타월로 닦고 중약 불로 달궈 포도씨유 (2작은술)를 두른다. 달걀을 넣고 뚜껑을 덮어 2분간 반숙으로 익힌 후 덜어둔다.

5 ④의 팬을 중간 불로 달군 후 ①의 쇠고기를 넣고 2분간 볶는다.

6 그릇에 밥을 담고 당근, 애호박, 쇠고기, 달걀, 김가루를 올린 후 참기름을 곁들인다.

· **아이에 맞게 채소를 써세요.**
아이가 채 썬 재료도 잘 먹는다면 채소를 다지지 말고
채 썰어 볶으세요.

돼지불고기덮밥

❝ 간단하지만 푸짐하고 맛도 있는 돼지불고기덮밥. 돼지고기는 뒷다리살보다 앞다리살이 훨씬 부드러워 아이들 먹기에 좋아요. 양념에 파인애플즙이 들어가 오래 재우면 고기가 부스러질 수 있으니 바로 구워 먹어야 합니다. 상추나 깻잎, 오이 등 생채소를 곁들여 먹으면 더 맛있어요.❞

조리시간 30분
2~3인분

□ 밥 400g(2공기)
□ 돼지고기 앞다리살(불고기용)
　　300g
□ 참기름 약간

양념
□ 파인애플 링 13g(1/5개)
　　(또는 파인애플즙 2큰술)
□ 양조간장 2큰술
□ 아가베시럽(또는 설탕) 2큰술
□ 청주 2작은술
□ 참기름 1/2작은술

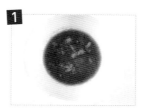

양념용 파인애플 링을 곱게
다지거나 믹서(또는 강판)에
간 후 나머지 양념 재료와
골고루 섞는다.

돼지고기는 두께가 얇은
것으로 준비해 먹기 좋게
3~4등분한다.

①에 돼지고기를 넣고 3분간
버무린 후 20분간 재운다.

달군 팬에 ③의 돼지고기를
넣고 중간 불에서 4분간
볶다가 중약 불로 줄여 4분간
더 볶는다. 그릇에 밥을 담고
돼지고기를 올린 후 참기름을
곁들인다.

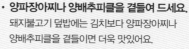

· **양파장아찌나 양배추피클을 곁들여 드세요.**
　돼지불고기 덮밥에는 김치보다 양파장아찌나
　양배추피클을 곁들이면 더욱 맛있어요.
　★ 양파장아찌 만들기 69쪽 참고.

Tip

소고기볶음덮밥·소고기채소덮밥

소고기볶음덮밥

소고기채소덮밥

" 간단하게 만들어 엄마는 쉽게, 아이는 맛있게 먹을 수 있는 초간단 쇠고기덮밥 두 가지를 소개하겠습니다. 쇠고기 안심은 아이 이유식 시기에 장바구니에 담는 1순위 재료였어요. 그래서인지 가끔 쇠고기 안심을 볶아 밥 위에 올려주면 맛있게 잘 먹어요. 집에 있는 자투리 채소를 고기와 함께 볶아주면 아이에게 채소를 골고루 먹일 수 있어요. "

소고기볶음덮밥

조리시간 30분
2~3인분

- □ 밥 2공기(400g)
- □ 다진 쇠고기 300g
- □ 참기름 1큰술

쇠고기 양념
- □ 양조간장 3큰술
- □ 아가베시럽(또는 설탕) 1과 1/2큰술
- □ 다진 파 1작은술
- □ 다진 마늘 1작은술
- □ 청주 1작은술
- □ 참기름 1작은술

볼에 쇠고기와 쇠고기 양념
재료를 넣고 버무려 20분간
재운다.

아빠·엄마용
이렇게
만드세요!

기호에 따라 고추장을 넣고
비벼 먹으면 맛있어요.

달군 팬에 참기름(1큰술)을
두르고 쇠고기를 넣어
중약 불에서 8분간 볶는다.
그릇에 밥을 담고 볶은
쇠고기를 올린다.

소고기채소덮밥

조리시간 25분
2~3인분

- □ 밥 2공기(400g)
- □ 쇠고기 안심 200g
- □ 양송이버섯 25g(2개)
- □ 빨강 파프리카 40g(1/4개)
- □ 노랑 파프리카 40g(1/4개)
- □ 양파 50g(1/4개)
- □ 마늘 10g(1쪽)
- □ 청주 1/2큰술
- □ 소금 1/2작은술
- □ 후춧가루 약간
- □ 포도씨유 1/2큰술

양송이버섯은 밑동을 자르고
모양대로 편 썬다. 빨강·노랑
파프리카와 양파는 사방
1.5cm 크기로 썰고 마늘은
얇게 편 썬다.

쇠고기는 사방 1cm 크기로
썬다.

달군 팬에 포도씨유를 두르고
마늘을 넣어 중약 불에서
30초간 볶은 후 양파를 넣어
1분간 볶는다. 중간 불로 올려
쇠고기와 청주를 넣고 2분간
더 볶는다.

③의 팬에 양송이버섯과
빨강·노랑 파프리카를
넣고 1분간 볶은 후 소금과
후춧가루로 간을 한다.
그릇에 밥을 담고 볶은
쇠고기와 채소를 올린다.

오므라이스

❝ 만들기도 간단해 집에서 자주 해 먹는 메뉴예요. 오므라이스에서 빠질 수 없는
달걀 지단을 예쁘게 부쳐 만들면 전문 식당 못지 않게 맛있어 보인답니다.
지단 위에 토마토케첩으로 하트나 아이 이름 등 재미난 무늬를 그려주는
것만으로도 아이들은 좋아해요. 냉장고 속 자투리 채소를 처리하기에도 좋아요.❞

조리시간 20분

2~3인분

- □ 밥 400g(2공기)
- □ 양파 100g(1/2개)
- □ 감자 60g(약 1/3개)
- □ 당근 40g(약 1/5개)
- □ 대파 5cm
- □ 달걀 2~3개
- □ 소금 약간
- □ 토마토케첩 2큰술
  (기호에 따라 가감)
- □ 포도씨유 1과 2/3큰술

1

양파, 감자, 당근, 대파는
굵게 다진다.

2

볼에 달걀과 소금을 약간 넣고
잘 풀어 달걀물을 만든다.

3

달군 팬에 포도씨유(1큰술)를
두르고 대파를 넣어 중약
불에서 30초간 볶은 후 양파를
넣어 30초, 감자를 넣어 1분,
당근을 넣어 1분간 더 볶는다.

4

③의 팬에 밥과 소금 약간,
토마토케첩(2큰술)을 넣고
주걱으로 자르듯이 섞으며
3분간 볶는다.
★ 토마토케첩은 충분히
볶아야 신맛이 나지 않는다.

5

다른 팬을 준비해 중약 불로
달군 후 포도씨유(1/3큰술씩)를
두르고 키친타월로 살짝
닦아낸다. 달걀물의 1/2분량을
붓고 2분간 익혀 윗면의
달걀물이 흐르지 않을 만큼
익으면 뒤집어 1분간 익힌다.
같은 방법으로 지단 1장을
더 부친다.

6

접시에 ⑤의 지단을 깔고
④의 볶음밥을 한쪽에 올린 후
반으로 접는다. 기호에 따라
토마토케첩을 곁들인다.

· 달걀 지단은 살짝만 익히세요.
달걀 지단을 너무 익히면 반달모양으로 잘 덮어지지
않으니 달걀물의 물기가 없어질 정도로만 구우세요.

Tip

달걀볶음밥

"아이가 볶음밥을 먹고 싶어할 때 냉장고 속에 마땅한 재료가 없으면 난감하지요. 이럴 때 달걀 하나만 있으면 밥이 꿀떡꿀떡 잘 넘어가는 볶음밥을 만들 수 있어요. 별다른 재료는 아니지만 의외로 맛있고 손쉽게 만들 수 있어 바쁠 때 요긴하게 쓰이는 메뉴랍니다."

조리시간 15분
2~3인분

☐ 밥 400g(2공기)
☐ 대파 15cm
☐ 달걀 2개
☐ 소금 약간
☐ 포도씨유 1과 1/3큰술

대파는 굵게 다진다.

볼에 달걀과 소금을 약간 넣고
잘 풀어 달걀물을 만든다.

달군 팬에 포도씨유를 두르고
대파를 넣어 중약 불에서
저어가며 1분간 볶는다.

③의 팬에 밥과 소금을 약간
넣고 주걱으로 자르듯이
섞으며 1분 30초간 볶는다.

④의 밥을 평평하게 편 후
달걀물을 골고루 붓는다.
달걀물이 밥알에 코팅되도록
주걱으로 자르듯이 섞으며
2분간 볶는다.

• **찬밥은 전자레인지에 데운 다음 볶으세요.**
볶음밥을 만들 때는 찬밥을 그대로 사용하지 말고 전자레인지(700W)에 데워 사용하세요.
밥을 따뜻한 상태로 넣어야 퍼석하지 않고 촉촉한 볶음밥을 만들 수 있어요.

카레

❝ 저는 어릴 적부터 카레를 너무 좋아했어요. 그런데 그렇게 좋아하던 카레가 식품첨가물 덩어리라는 것을 알고부터 제 아이에게는 친환경 매장에서 판매하는 카레가루로 카레를 만들어주고 있어요. 풍미가 강한 시판용 카레가루에 비해 맛이 다소 심심하지만 다시마물과 과일을 넣으면 감칠맛이 더해져요. ❞

조리시간 40~45분

2~3인분

★ 냉동 보관법 317쪽 참고

□ 밥 400g(2공기)
□ 카레가루 90g(1봉)
□ 닭가슴살 180g(약 1과 3/4조각)
□ 양파 200g(1개)
□ 감자(큰 것) 150g(3/4개)
□ 당근 70g(약 1/3개)
□ 애호박 60g(약 1/4개)
□ 파인애플 링 60g(약 1개)
□ 사과 50g(1/4개)
□ 다시마물 4컵(다시마 10×10cm
　2장 + 미지근한 물 4컵)
□ 소금 약간
□ 포도씨유 1큰술

아빠·엄마용
이렇게
만드세요!

아이가 먹을 만큼 덜어낸 후
파프리카 가루나 청양고추를 썰어
넣고 한 번 더 끓이면 맛있어요.

1

양파, 감자, 당근, 애호박은
사방 0.7cm 크기로 썬다.
닭가슴살은 굵게 다진다.
미지근한 물에 다시마를
10분 이상 담가두어
다시마물(4컵)을 만든다.

2

파인애플 링과 사과는 각각
믹서(또는 강판)에 넣고 곱게
간다. 다시마물(1/2컵)에
카레가루를 푼다.

3

달군 냄비에 포도씨유를
두르고 양파를 넣어 중약
불에서 7분간 볶은 후 감자와
당근을 넣어 4분, 애호박과
닭가슴살을 넣어 4분간 더
볶는다.

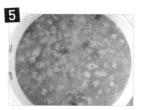

4

③의 냄비에 다시마물
(3과 1/4컵)을 붓고 센 불로
올려 끓어오르면 거품을
걷어내고 중약 불로 줄여
5분간 끓인다.

5

④의 냄비에 ②의 개어둔
카레가루를 넣는다. ②의 그릇에
다시마물(1/4컵)을 부어 묻어
있는 카레가루를 씻어 냄비에
붓고 센 불로 올려 끓인다.

6

끓어오르면 중간 불로
줄여 5분간 끓인 후 ②의
파인애플즙과 사과즙을 넣고
5분 더 끓인다. 그릇에 밥을
담고 카레를 곁들인다.

Tip

• 카레는 넉넉히 만들어 냉동 보관해도 됩니다.
식힌 카레를 한끼 분량씩 지퍼백에 평평하게 담아 냉동실에 넣어두면 손쉽게 꺼내 먹을 수
있어요. 냉장고에서 해동하거나 바로 냄비에 넣고 끓여도 돼 간편하답니다. 닭가슴살 대신
돼지고기 안심이나 쇠고기 안심, 새우나 꽃게를 넣고 만들어도 맛있어요.

가츠동

❝ 돈가스덮밥으로 불리는 가츠동은 어릴 적에 엄마가 한번씩 만들어주시던 요리예요. 바삭한 돈가스에 덮밥 소스를 얹어 먹으면 맛있어요. 요리하기를 좋아했던 저는 스무살 때 집에 놀러온 친구들에게 처음 가츠동을 만들어 주었는데, 국물에 청주를 너무 많이 넣어 아무리 끓여도 술 냄새가 없어지지 않던 기억이 나네요. ❞

조리시간 35분
2~3인분

☐ 밥 400g(2공기)
☐ 돈가스 80~100g(1조각)
  ★ 돈가스 만들기 165쪽 참고
☐ 팽이버섯 15g(1/10봉)
☐ 양파 40g(약 1/5개)
☐ 쪽파 20g(2줄기)
☐ 달걀 2개
☐ 포도씨유 적당량

가쓰오부시 국물
☐ 물 350ml(1과 3/4컵)
☐ 다시마 5×5cm
☐ 가쓰오부시 2g(1/2컵)

양념
☐ 양조간장 1과 1/2큰술
☐ 아가베시럽(또는 설탕) 1큰술
☐ 청주 1작은술

냄비에 다시마와 물을 넣고
센 불에서 끓이다 끓어오르면
중약 불로 줄여 5분간 끓인다.
불을 끄고 가쓰오부시를 넣어
5분간 우린 후 체에 밭쳐
국물만 거른다.

팽이버섯은 4cm 길이로 썬다.
양파는 채 썰고 쪽파는 송송
썬다. 볼에 달걀을 잘 풀어
달걀물을 만든다.

달군 팬에 포도씨유를
넉넉하게 두르고 돈가스를
올려 중약 불에서 앞뒤 각각
6분씩 튀기듯이 굽는다.

튀긴 돈가스는 키친타월이나
튀김망에 올려 기름기를
제거한 후 길게 2등분해
1.5cm 폭으로 썬다.

냄비에 ①의 국물(1과 1/2컵)과
양념 재료를 넣고 센 불에서
끓인다. 끓어오르면 팽이버섯,
양파를 넣고 중간 불로 줄여
4분간 끓인다.

⑤의 냄비에 달걀물을 빙 둘러
붓고 1분간 익힌 후 불을 끈다.
그릇에 밥을 담고 돈가스를
올린 후 ⑤의 국물과 건더기,
쪽파를 곁들인다.
★ 달걀물을 넣고 휘젓지
않아야 깔끔하다.

Tip

• **가쓰오부시 국물을 만들 때는 꼭 불을 끈 후 가쓰오부시를 넣으세요.**
가쓰오부시는 5분 정도 우린 후 체에 밭쳐 건져내야 합니다. 체에 밭친 가쓰오부시를
숟가락으로 눌러서 국물을 빼면 쓴맛이 나므로 체에만 밭쳐 국물을 거르세요. 너무 오래
우리거나 가쓰오부시를 넣고 같이 끓여도 국물에서 쓴맛이 납니다.

생선가스

" 동태포로 만들 수 있는 간단한 생선가스예요. 굽는 시간도 오래 걸리지 않고 흰살 생선이라 아이도 잘 먹는답니다. 요즘은 스테이크용 생선도 마트에서 판매하는데요, 그걸로 만드시면 두툼한 생선가스를 만들 수 있을 거예요. 중간중간에 가시가 있을지도 모르니 가시를 잘 확인하고 제거한 후 만드세요. "

조리시간 40~45분

2~3인분

★ 냉동 보관법 317쪽 참고

□ 동태포 350g(1팩)

□ 포도씨유 적당량

□ 타르타르소스 적당량

　★ 타르타르소스 만들기 167쪽

동태포 밑간

□ 청주 1큰술

□ 소금 약간

□ 후춧가루 약간

튀김옷

□ 밀가루 4큰술

□ 달걀 2개

□ 빵가루 2컵

□ 물 1과 1/2큰술(빵가루용)

동태포는 밑간에 15분간 재운 후 키친타월로 물기를 제거한다. ★ 냉동 동태포를 구입했다면 하루 전날 냉장고에서 해동해 사용한다.

볼에 달걀을 잘 풀어 달걀물을 만든다.

다른 볼에 빵가루와 물을 넣고 손으로 비비면서 골고루 섞는다. ★ 빵가루에 수분이 없기 때문에 물을 넣어 튀김옷을 입히면 구울 때 타지 않는다.

①의 동태 앞뒤에 밀가루, 달걀물, 빵가루 순으로 튀김옷을 골고루 입힌다.

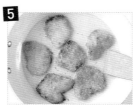

달군 팬에 포도씨유를 넉넉하게 두르고 ④의 생선가스를 올려 중약 불에서 앞뒤 각각 3분씩 튀기듯이 굽는다. ★ 동태포의 두께에 따라 시간을 조절한다.

⑤의 생선가스를 키친타월이나 튀김망에 올려 기름기를 제거한 후 접시에 담아 타르타르소스를 곁들인다.

Tip

• **넉넉하게 만들어 냉동 보관하세요.**

종이 포일을 깐 쟁반에 생선가스와 종이 포일을 1장씩 올려 켜켜이 쌓아 냉동 보관하세요.
이렇게 얼리면 서로 달라붙지 않고 지퍼백에 옮겨 담을 수도 있어 부피를 줄일 수 있답니다.

★ 홈메이드 냉동식품 냉동 보관법 317쪽 참고.

돈가스

❝ 돈가스는 온 가족이 모두 좋아하는 메뉴예요. 주말에 아이와 함께 돈가스를 만들어도 좋아요. 얇게 편 고기 사이에 피자치즈나 으깬 고구마를 넣어 반 접은 후 반죽을 입혀도 색다른 맛의 돈가스가 완성됩니다. ❞

조리시간 30분
약 10개분

★ 냉동 보관법 317쪽 참고

☐ 돼지고기 등심(돈가스용)
　600~700g(약 10장)
☐ 포도씨유 적당량

돼지고기 밑간
☐ 소금 1작은술
☐ 후춧가루 약간
☐ 우유 250ml(1과 1/4컵)
☐ 청주 1큰술

튀김옷
☐ 밀가루 8큰술
☐ 달걀 2개
☐ 빵가루 250g(5컵)
☐ 우유(또는 물) 2큰술(빵가루용)

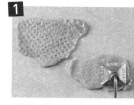

1

돼지고기는 고기용 망치
(또는 칼등)로 두들겨 1.5배
크기로 얇게 만든다.
★ 정육점에서 2~3번 눌러준
돈가스용 고기를 준비했다면
이 과정은 생략해도 된다.

2

돼지고기에 소금과
후춧가루로 밑간을 한 후
우유(1과 1/4컵)와 청주를
넣고 30분간 재운다.

3

볼에 달걀을 잘 풀어 달걀물을
만든다.

4

깊은 볼에 빵가루와
우유(2큰술)를 넣고 손으로
비비면서 골고루 섞는다.
★ 빵가루에 수분이 없기
때문에 우유(또는 물)를 넣어
튀김옷을 입히면 고기를 구울
때 타지 않는다.

Tip

**· 돼지고기 등심은
돈가스용으로 구입하세요.**
돈가스용 돼지고기라도 한번
더 고기용 망치나 칼등으로
두들겨 얇게 펴주면 훨씬
부드러워지고 맛있답니다.
이때 도마에 종이 포일을
깔고 두드리면 위생적입니다.
도마가 찍힐 수 있으니 쓰지
않는 도마(또는 쟁반)를
사용하는 것이 좋아요.

5

돼지고기 앞뒤에 밀가루,
달걀물, 빵가루 순으로
튀김옷을 골고루 입힌다.

6

달군 팬에 포도씨유를
넉넉하게 두르고 돈가스를
올려 중약 불에서 앞뒤 각각
6분씩 튀기듯이 굽는다.
키친타월이나 튀김망 위에
올려 기름기를 제거한 후
접시에 담아 밥이나 과일을
곁들인다. ★ 고기 두께에
따라 시간을 조절한다.

새우가스

❝ 새우가스는 씹는 질감이 쫀득하면서도 부드러워 어른 아이 모두
좋아하는 메뉴예요. 반죽을 만들 때 손에 찐득하게 붙어 만들기 불편하지만,
일단 만들어두면 두고두고 요긴하게 먹을 수 있는 요리랍니다.
크기를 작게 빚어서 아이 소풍 도시락반찬으로 넣어줘도 좋아요. ❞

조리시간 30분
8개분
★ 냉동 보관법 317쪽 참고

☐ 냉동 생새우살(킹사이즈)
　 500g(약 45마리)
☐ 양파 50g(1/4개, 반죽용)
☐ 빵가루 6큰술(반죽용)
☐ 밀가루 2큰술(반죽용)
☐ 포도씨유 적당량

튀김옷
☐ 밀가루 3큰술
☐ 달걀 1개
☐ 빵가루 2컵
☐ 물 1과 1/2큰술(빵가루용)

타르타르소스
☐ 양파 50g(1/4개)
☐ 피클(작은 크기) 25g(2개)
☐ 마요네즈 3큰술
☐ 머스터드 약간

반죽용 양파(약 1/4개)와
소스용 양파(약 1/4개),
피클은 곱게 다진다.
★ 양파 1/2개 분량을 곱게
다져 반죽용과 소스용으로
반을 나누면 간편하다.

타르타르소스 재료를 골고루
섞는다.

냉동 생새우살은 소금물
(물 3컵 + 소금 1/2작은술)에
담가 해동한 후 키친타월로
물기를 제거하고 으깨듯이
다진다.

볼에 ③의 새우살, 반죽용
양파, 반죽용 빵가루(6큰술)와
밀가루(2큰술)를 넣고 잘
섞는다.

④의 반죽을 8등분해 지름
10cm 크기로 둥글 납작하게
빚는다.

볼에 달걀을 잘 풀어 달걀물을
만든다.

···▸ next page

다른 볼에 튀김옷용 빵가루와
물을 넣고 손으로 비비면서
골고루 섞는다. ★ 빵가루에
수분이 없기 때문에 물을 넣어
튀김옷을 입히면 구울 때 타지
않는다.

⑤의 반죽 앞뒤에 밀가루,
달걀물, 빵가루 순으로
튀김옷을 골고루 입힌다.

달군 팬에 포도씨유를
넉넉하게 두르고 ⑧의
새우가스를 올려 중약 불에서
6분, 뒤집어 5분간 튀기듯이
굽는다. ★ 새우가스 두께에
따라 시간을 조절한다.

키친타월이나 튀김망 위에
구운 새우가스를 올려
기름기를 제거한 후 접시에
담아 타르타르소스를
곁들인다.

- **새우가스로 미니버거를 만들어도 좋아요.**
  햄버거빵에 양상추를 깔고 튀긴 새우가스를 올린 후 타르타르소스를 뿌리면 새우버거를
  만들 수 있답니다. 모닝빵 크기로 새우가스를 작게 만들면 아이들도 먹기 편한 미니버거가
  완성되지요. 새우가스로만 먹을 경우에는 양상추나 양배추를 곱게 채 썰어 곁들이세요.
- **넉넉하게 만들어 냉동 보관하세요.**
  종이 포일을 깐 쟁반에 새우가스와 종이 포일을 1장씩 올려 켜켜이 쌓아 냉동 보관하세요.
  이렇게 얼리면 서로 달라붙지 않고 지퍼백에 옮겨 담을 수도 있어 부피를 줄일 수 있답니다.
  ★ 홈메이드 냉동식품 냉동 보관법 317쪽 참고.

깍두기 만들기 67쪽

닭죽

" 닭죽은 아플 때 먹기 좋은
한 그릇 요리예요. 찹쌀로 만들기 때문에
소화가 잘 된답니다. 닭고기, 찹쌀,
파, 양파 모두 감기와 배탈에 좋은
재료이기 때문에 가족이 아플 때는
닭죽을 끓여주세요. 압력솥에 만들면
냄비에 끓이는 것보다 시간도 오래
걸리지 않고 맛도 더 진하답니다. "

조리시간 70분
3~4인분

□ 닭 900g(1마리)
□ 찹쌀 약 240g(1과 1/2컵)
□ 양파 50g(1/4개)
□ 대파(흰 부분) 20cm
□ 물 1.6L(8컵)
□ 소금 적당량

향신 재료
□ 대추 30g(8개)
□ 대파 2/3뿌리
□ 마늘 30g(3쪽)
□ 통후추 10알(1/2작은술)
□ 청주 1큰술

닭 손질하기

닭은 몸의 껍질 안쪽과 몸통 속에 있는 기름 덩어리를 잡아 당겨 깨끗이 제거한다.

날개를 일자로 펴 구부러지는 첫 마디를 가위로 잘라 버린다.

꽁지는 가위로 잘라 버린다.

닭죽 만들기

찹쌀은 깨끗이 씻은 후 체에 밭쳐 물기를 뺀다.

양파와 대파는 굵게 다진다.

압력밥솥에 손질한 닭과 물(8컵), 향신 재료를 넣고 뚜껑을 덮어 센 불에서 끓인다.

끓어올라 압력밥솥의 추가 흔들리면 약한 불로 줄여 15분간 끓인 후 불을 끈다. 압력이 빠지면 뚜껑을 열고 닭고기만 건진다.

체에 면보를 얹고 ⑦의 국물을
부어 닭 국물을 거른다.

⑦의 닭고기는 한김 식힌 후
살을 발라 결대로 잘게 찢는다.

⑦의 압력밥솥을 깨끗이 씻은
후 찹쌀과 양파, 대파를 넣고
⑧의 닭 국물을 부어 뚜껑을
덮은 채 센 불에서 끓인다.

끓어올라 압력밥솥의 추가
흔들리면 약한 불로 줄여
10분간 끓인 후 불을 끄고
뜸을 들인다. 압력이 빠지면
뚜껑을 열고 죽을 저어가며
골고루 섞은 후 기호에 따라
소금으로 간을 한다.

• **죽을 끓일 때 닭고기는 먹을 만큼만 넣으세요.**
닭고기살을 모두 넣으면 너무 많기 때문에 반이나 2/3분량 정도만 넣어도 됩니다.
아이가 잘 씹지 못한다면 닭고기는 결대로 찢은 후 칼로 다져 넣으세요.
남은 닭고기는 소금에 찍어 먹거나 샐러드 재료로 사용하세요.

떡국

❝ 떡국은 육수를 진하게 내면 무조건 맛있게 끓일 수 있답니다.
저는 장조림을 만드는 날 떡국을 끓이는데요, 장조림용 고기 삶는 물을 넉넉하게
잡아서 남은 국물로 떡국을 끓여요. 그러면 국물이 진해진답니다. 사골곰국으로
끓여도 맛있어요. ❞

조리시간 70~80분
(+ 쇠고기 핏물 제거하기 30분)

2~3인분

☐ 떡국떡 300g
☐ 대파(흰 부분) 10cm
☐ 국간장 1큰술(기호에 따라 가감)
☐ 조미 김가루 약간(고명용)

국물
☐ 쇠고기 양지머리 300g
☐ 무 50g
  (지름 10cm, 두께 1cm 1/2토막)
☐ 양파 40g(1/5개)
☐ 대파(푸른 부분) 10cm
☐ 물 1.8L(8컵)

쇠고기 고명
☐ 다진 쇠고기 100g
☐ 다진 마늘 1/4작은술
☐ 국간장 1작은술
☐ 참기름 1/2작은술(쇠고기 볶음용)

달걀 지단 고명
☐ 달걀 1개
☐ 소금 약간
☐ 포도씨유 1작은술

쇠고기 양지는 찬물에 30분간 담가 핏물을 제거한다.
★ 중간중간 깨끗한 물로 갈아준다.

냄비에 국물 재료를 넣고 센 불에서 끓인다. 끓어오르면 거품을 걷어내고 중약 불로 줄인 후 뚜껑을 덮어 1시간 정도 끓인다. 체에 밭쳐 국물만 거른다.

떡국떡은 씻어 물에 담가둔 후 체에 밭쳐 물기를 뺀다. 대파는 송송 썬다.

볼에 참기름을 제외한 쇠고기 고명 재료를 넣고 버무려 재운다. 지단용 달걀은 흰자와 노른자를 분리한 후 소금을 약간 넣고 각각 푼다.

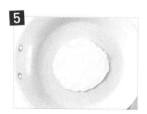

약한 불로 달군 팬에 포도씨유(1작은술)를 두르고 키친타월로 살짝 닦아낸다. 흰자와 노른자를 각각 붓고 1분간 익혀 윗면의 달걀물이 흐르지 않을 만큼 익으면 뒤집어 1분간 익힌다.

⑤의 황백 지단을 한김 식힌 후 3cm 길이로 채 썬다.

····› next page

• **국물 낸 쇠고기 양지는 이렇게 활용하세요.**
따뜻할 때 찢어서 소금에 찍어 먹거나 냉장고에 넣어두었다가 썰어 된장찌개에 넣으세요.

Tip

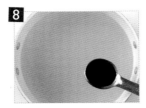

⑤의 팬을 키친타월로 닦고 중간 불로 달군다. 참기름을 두른 후 ④의 고명용 쇠고기를 넣고 5분간 볶아 덜어둔다.

냄비에 ②의 국물과 국간장을 넣고 센 불에서 한소끔 끓여 국간장 향을 날린다.

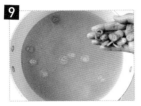

⑧의 냄비에 떡국떡을 넣고 끓어오르면 중간 불로 줄여 4분간 끓인 후 대파를 넣고 1~2분간 더 끓인다.

그릇에 떡국을 담고 쇠고기, 달걀 지단, 김가루를 올린다.

- **양지머리로 국물을 내기 번거롭다면 멸치 국물을 활용해도 좋아요.**
  멸치 국물을 진하게 낸 다음 떡국을 끓여도 개운한 맛이 납니다.
- **쇠고기 고명을 넉넉히 만들어 초간단 떡국 만들기에 활용하세요.**
  쇠고기 양지로 국물을 낼 경우 고기를 건져 국간장과 참기름으로 양념해 고명으로 쓰는
  방법도 있지만, 고기가 질겨서 아이가 잘 먹지 못합니다. 쇠고기 고명을 넉넉하게 만든 다음
  국간장을 넣고 끓인 물에 떡국떡과 함께 넣고 끓이면 간단하게 떡국을 만들 수도 있어요.

쇠고기육수로 국물을 낸 온면은 진하면서도 깔끔한 맛이 나는 국수예요.
면류는 아이들이 특히 좋아하는데, 수입산 밀로 만든 국수는 밀가루에
표백 처리를 하거나 방부제가 첨가될 수 있으니 우리밀 밀가루로 만든 국수나
유기농밀로 만든 국수로 면 요리를 해주세요.

조리시간 70~80분
(+ 쇠고기 핏물 제거하기 30분)

2~3인분

☐ 소면 200g
　(약 3줌, 손대중량 17쪽)

국물
☐ 쇠고기 양지머리 300g
☐ 무 50g
　(지름 10cm, 두께 1cm 1/2토막)
☐ 양파 40g(1/5개)
☐ 대파(흰 부분) 10cm
☐ 국간장 1큰술(기호에 따라 가감)
☐ 물 1.8L(9컵)

쇠고기 고명
☐ 다진 쇠고기 50g
☐ 다진 마늘 1/3작은술
☐ 국간장 1작은술
☐ 참기름 약간(쇠고기 볶음용)

애호박 고명
☐ 애호박 50g(1/5개)
☐ 소금 1/3작은술
☐ 참기름 약간

달걀 지단 고명
☐ 달걀 1개
☐ 소금 약간
☐ 포도씨유 1작은술

쇠고기 양지는 찬물에 30분간
담가 핏물을 제거한다.
★ 중간중간 깨끗한 물로
갈아준다.

냄비에 국물 재료를 넣고
센 불에서 끓인다. 끓어오르면
거품을 걷어내고 중약 불로
줄인 후 뚜껑을 덮고 1시간
정도 끓인다. 체에 밭쳐
국물만 거른다.

볼에 참기름을 제외한 쇠고기
고명 재료를 넣고 버무려
재운다.

고명용 애호박은 가늘게 채
썰어 소금을 뿌려 절인다.
키친타월로 살짝 눌러 물기를
제거한다.

지단용 달걀은 흰자와
노른자를 분리한 후 소금을
약간 넣고 각각 푼다.

약한 불로 달군 팬에
포도씨유(1작은술)를 두르고
키친타월로 살짝 닦아낸다.
흰자와 노른자를 각각 붓고
황백 지단을 부친다. 한김
식힌 후 3cm 길이로 채 썬다.
★ 황백 지단 만들기 173쪽
참고.

⑥의 팬을 키친타월로 닦고
중약 불로 달군다. 참기름을
두른 후 애호박을 넣고 1분간
볶아 덜어둔다.

⑦의 팬을 키친타월로 닦고
중간 불로 달군다. 참기름을
두른 후 ③의 고명용 쇠고기를
넣어 4분간 볶아 덜어둔다.

끓는 물(5컵)에 소면을 넣고
센 불에서 삶는다. 물이
끓어오르면 찬물 1/2컵
붓기를 2~3번 반복한다.

삶은 소면은 찬물에서 손으로
여러 번 비벼가며 헹궈
전분기를 없앤 후 체에 밭쳐
물기를 뺀다.

그릇에 소면을 담고 쇠고기,
애호박, 달걀 지단을 올린 후
②의 국물을 적당량 붓는다.

• 삶은 소면은 찬물에 여러 번 헹궈 전분기를 없애주세요.
소면은 삶은 후 찬물에 담가 손으로 여러 번 비벼 씻으면 전분기가 완전히 빠지면서 밀가루
냄새가 나지 않는답니다.

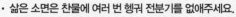

비빔국수

❝ 입맛을 싹 돌게 하는 비빔국수는 면을 넉넉하게 삶고 양념을 2가지로 만들어 비비면 어른 아이 모두 만족하며 먹을 수 있어요. 아이용 양념에 고추장을 조금만 넣고 땅콩버터로 맛을 낸 것은 제가 어릴 때 할아버지께서 만들어주신 비빔국수의 비법인데요, 맵지 않아 맛있답니다. **❞**

어른용

아이용

조리시간 30분
2~3인분

- ☐ 소면 200g
  (약 3줌, 손대중량 17쪽)
- ☐ 오이(또는 당근) 50g
  (1/4개, 고명용)
- ☐ 사과 25g(1/8개, 고명용)

달걀 지단 고명
- ☐ 달걀 1개
- ☐ 소금 약간
- ☐ 포도씨유 1작은술

아이용 양념장
- ☐ 곱게 간 사과 50g(사과 1/4개분)
- ☐ 땅콩버터 2큰술
- ☐ 양조간장 1작은술
- ☐ 아가베시럽(또는 설탕) 2/3작은술
- ☐ 고추장 1작은술(아이에 따라 가감)

어른용 양념장
- ☐ 양조간장 1큰술
- ☐ 아가베시럽(또는 설탕) 1과 1/3큰술
- ☐ 고추장 5큰술
- ☐ 식초 2큰술
- ☐ 다진 마늘 2작은술

오이는 칼등으로 가시를
긁어낸 후 돌려 깎아 3cm
길이로 가늘게 채 썬다.
사과는 깨끗이 씻어 껍질째
가늘게 채 썬다.

아이용과 어른용 양념장
재료를 각각 골고루 섞는다.
지단용 달걀은 흰자와
노른자를 분리한 후 소금을
약간 넣고 각각 푼다.

약한 불로 달군 팬에
포도씨유(1작은술)를 두르고
키친타월로 살짝 닦아낸다.
흰자와 노른자를 각각 붓고
황백 지단을 부친다. 한김
식힌 후 3cm 길이로 채 썬다.
★ 황백 지단 만들기 173쪽
참고.

끓는 물(5컵)에 소면을 넣고
센 불에서 삶는다. 물이
끓어오르면 찬물 1/2컵
붓기를 2~3번 반복한다.

삶은 소면은 찬물에서 손으로
여러 번 비벼가며 헹궈
전분기를 없앤 후 체에 밭쳐
물기를 뺀다.

그릇에 소면을 담고 달걀
지단, 오이, 사과를 올린 후
기호에 따라 양념장을 적당량
넣고 비벼 먹는다.

Tip

- **아이용 양념장에 들어가는 고추장의 양은 조절해주세요.** 땅콩버터 때문에 그리 맵지
  않지만 아이가 어리거나 매운 것을 잘 먹지 못한다면 고추장의 양은 조절해주세요.
- **오이 껍질까지 사용한다면 무농약이나 유기농 오이를 쓰세요.** 일반 오이로 만들 때는
  아이가 먹을 음식이니 껍질을 얇게 벗기고 쓰세요.

잔치국수

❝ 추운 겨울에는 뜨끈뜨끈한 국물에 말아 먹고, 여름에는 시원하게 식힌 국물에 말아 먹는 잔치국수. 주말 점심에 간단하게 만들어 온 가족이 함께 국수 한 그릇 먹는 것도 좋지요. 아이가 어린 경우에는 국수를 반으로 잘라 삶으면 먹기가 편해요. ❞

어른용   아이용

조리시간 30분
2~3인분

□ 소면 200g
　(약 3줌, 손대중량 17쪽)
□ 조미 김가루 약간(고명용)

국물
□ 국물용 멸치 20마리
□ 다시마 5×5cm 2장
□ 양파 100g(1/2개)
□ 대파(흰 부분) 10cm
□ 마늘 20g(2쪽)
□ 청주 1큰술　□ 물 1L(5컵)

애호박 고명
□ 애호박 50g(1/4개)
□ 소금 1/3작은술　□ 참기름 약간

김치 고명
□ 씻은 배추김치 50g(1/3컵)
□ 깨소금 1/2작은술
□ 참기름 1/2작은술

달걀 지단 고명
□ 달걀 1개　□ 소금 약간
□ 포도씨유 1작은술

아이용 양념장
□ 국간장 1작은술
□ 양조간장 2작은술
□ 깨소금 1작은술
□ 참기름 약간

어른용 양념장
□ 국간장 1/2큰술
□ 양조간장 1큰술
□ 고춧가루 2/3큰술
□ 다진 파 1큰술
□ 깨소금 1작은술
□ 참기름 약간
□ 다진 마늘 1작은술
□ 다진 청양고추 약간

고명용 애호박은 가늘게 채 썰어 소금을 뿌려 절인다. 키친타월로 살짝 눌러 물기를 제거한다.

고명용 씻은 김치는 물기를 꼭 짠 후 사방 2cm 크기로 썰어 깨소금, 참기름을 넣고 골고루 버무린다. ★ 통깨를 손으로 부수어 깨소금을 만든다.

지단용 달걀은 흰자와 노른자를 분리한 후 소금을 약간 넣고 각각 푼다. 아이용과 어른용 양념장 재료를 각각 골고루 섞는다.

냄비에 국물 재료를 넣고 센 불에서 끓인다. 끓어오르면 거품을 걷어내고 중약 불로 줄여 5분간 끓인다. 다시마를 건지고 5분간 더 끓인 후 체에 밭쳐 국물만 거른다.

약한 불로 달군 팬에 포도씨유(1작은술)를 두르고 키친타월로 살짝 닦아낸다. 흰자와 노른자를 각각 붓고 1분간 익혀 윗면의 달걀물이 흐르지 않을 만큼 익으면 뒤집어 1분간 익힌다.

⑤의 황백 지단을 한김 식힌 후 3cm 길이로 채 썬다.

····► next page

⑤의 팬을 키친타월로 닦고
중약 불로 달군다. 참기름을
두른 후 애호박을 넣고 1분간
볶는다.

끓는 물(5컵)에 소면을 넣고
센 불에서 삶는다. 물이
끓어오르면 찬물 1/2컵
붓기를 2~3번 반복한다.

삶은 소면은 찬물에서 손으로
여러 번 비벼가며 헹궈
전분기를 없앤 후 체에 밭쳐
물기를 뺀다.

그릇에 소면을 담고 김치,
애호박, 달걀 지단, 김가루를
올린 후 ④의 국물을 적당량
붓는다. 기호에 따라 양념장을
곁들인다.

아빠·엄마용 이렇게 만드세요!

기호에 따라 김치를 더 넣거나
김치의 양념을 씻지 않고
그대로 넣어도 맛있습니다.

• **잔치국수 국물을 진하게 만들고 싶다면 디포리를 넣어보세요.**
디포리는 멸치에 비해 크기도 크고 기름기가 많아 진한 국물 맛을 내는 데 좋아요.
이때 무도 함께 넣어 끓이면 더욱 시원하고 깔끔한 국물을 만들 수 있습니다.

❝ 살짝 매콤한 비빔국수도 좋지만 감칠맛 나는 간장비빔국수도 정말 맛있어요.
심심한 듯하면서도 달콤 짭조름한 맛에 자꾸만 먹게 되지요. 고추장을 넣지 않고
간장으로만 맛을 내어 매운 걸 못 먹는 아이들도 잘 먹을 수 있어요. **❞**

마늘종장아찌 만들기 69쪽

조리시간 30분
2~3인분

□ 소면 200g
    (약 3줌, 손대중량 17쪽)
□ 오이 80g(1/3개, 고명용)
□ 당근 20g(1/10개, 고명용)
□ 표고버섯 20g(2개, 고명용)
□ 소금 약간
□ 참기름 3작은술(채소 볶음용)

쇠고기 고명
□ 다진 쇠고기 50g
□ 양조간장 1/2큰술
□ 아가베시럽(또는 설탕) 1/4큰술
□ 다진 마늘 1/4작은술
□ 청주 1/4작은술
□ 참기름 약간(쇠고기 볶음용)

달걀 지단 고명
□ 달걀 1개
□ 소금 약간
□ 포도씨유 1작은술

양념장
□ 양조간장 2큰술
□ 아가베시럽(또는 설탕) 2큰술
□ 깨소금 1큰술
□ 참기름 1큰술

1

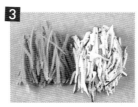

볼에 참기름을 제외한 쇠고기
고명 재료를 넣고 버무려
재운다.

2

오이는 필러로 껍질을 벗기고
길이대로 반을 자른다.
씨 부분을 숟가락으로 파낸 후
모양대로 채 썬다.

3

당근은 가늘게 채 썬다.
표고버섯은 밑동을 자르고
가늘게 채 썬다.

4

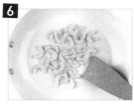

지단용 달걀은 흰자와
노른자를 분리한 후 소금을
약간 넣고 각각 푼다. 양념장
재료를 골고루 섞는다.

5

약한 불로 달군 팬에
포도씨유(1작은술)를 두르고
키친타월로 살짝 닦아낸다.
흰자와 노른자를 각각 붓고
황백 지단을 부친다. 한김
식힌 후 3cm 길이로 채 썬다.
★ 황백 지단 만들기 173쪽
참고.

6

⑤의 팬을 키친타월로
닦고 중약 불로 달군다.
참기름(1작은술)을 두른
후 오이를 넣고 1분간 볶아
덜어둔다.

⑥의 팬에 참기름(1작은술씩)을 두른 후 당근과 표고버섯을 각각 넣고 중약 불에서 각각 1분씩 볶아 덜어둔다. 볶을 때 소금을 약간 뿌린다.

⑦의 팬을 키친타월로 닦고 중간 불로 달군다. 참기름을 두른 후 ①의 쇠고기를 넣어 4분간 볶아 덜어둔다.

끓는 물(5컵)에 소면을 넣고 센 불에서 삶는다. 물이 끓어오르면 찬물 1/2컵을 붓기를 2~3번 반복한다.

삶은 소면은 찬물에서 손으로 여러 번 비벼가며 헹궈 전분기를 없앤 후 체에 밭쳐 물기를 뺀다.

그릇에 소면을 담고 쇠고기, 오이, 당근, 표고버섯, 달걀 지단을 올린 후 기호에 따라 양념장을 넣고 비벼 먹는다.

가쓰오부시우동

❝ 우동 맛을 좌우하는 포인트는 무엇보다 깔끔한 국물 맛에 있지요.
가쓰오부시우동은 가장 기본적이면서 맛있는 우동이에요. 여기에 튀김을
얹어내면 튀김우동, 새우나 오징어 등의 해물로 국물을 끓이면 해물우동,
어묵을 넣으면 어묵우동이 됩니다. 불린 미역을 넣어도 별미랍니다. **❞**

조리시간 30분
2~3인분

□ 우동면 420g(2봉)
□ 대파(흰 부분) 10cm
□ 유부 3장(고명용)
□ 쑥갓 약간(고명용)
□ 조미 김가루 약간(고명용)

국물
□ 다시마 10×10cm 2장
□ 무 50g
　　(지름 10cm, 두께 1cm 1/2토막)
□ 양파 40g(1/5개)
□ 대파 10cm
□ 표고버섯 15g(약 1과 1/2개)
□ 물 1.2L(6컵)
□ 가쓰오부시 10g(2컵)

양념
□ 청주 2큰술
□ 아가베시럽(또는 설탕) 1큰술
□ 양조간장 1큰술

아빠·엄마용 이렇게 만드세요!

국물에 고춧가루를 기호에 맞게 뿌려 얼큰하게 즐기세요. 좀 더 간을 진하게 하고 싶다면 기호에 따라 양념을 비율대로 늘려 만들면 됩니다.

대파는 송송 썬다. 유부는 끓는 물에 넣고 중간 불에서 30초간 데친다. 찬물에 헹궈 물기를 꼭 짠 후 0.7cm 폭으로 썬다.

냄비에 가쓰오부시를 제외한 국물 재료를 넣고 센 불에서 끓이다 끓어오르면 중약 불로 줄여 5분간 끓인다. 불을 끄고 가쓰오부시를 넣어 5분간 우린 후 체에 밭쳐 국물만 거른다.

작은 냄비에 양념 재료를 넣고 중간 불에서 끓인다. 끓어오르면 중약 불로 줄인 후 1분간 끓여 양념을 만든다.

끓는 물(4컵)에 우동면을 넣고 2분간 삶은 후 체에 밭쳐 물기를 뺀다. ★ 우동면을 넣고 면이 풀릴 때까지 가만히 두어야 면이 끊어지지 않는다.

냄비에 ②의 국물과 ③의 양념을 붓고 센 불에서 한소끔 끓인 후 대파와 우동면을 넣고 1분간 더 끓인다.

그릇에 ⑤를 담고 유부, 쑥갓, 김가루를 올린다.

볶음우동

66 볶음우동은 온 가족 모두 좋아하는
면 요리예요. 오동통하고 탱탱한 면발을
씹는 맛이 별미랍니다. 면과 여러 가지 채소를
함께 먹을 수 있어 아이들에게도 좋아요.
아이들은 가쓰오부시가 살아있는 것처럼
춤 추는 모습을 무서워할 수 있으니 고명으로
올리는 가쓰오부시는 생략해도 됩니다. 99

조리시간 30분

2~3인분

- ☐ 우동면 420g(2봉)
- ☐ 냉동 생새우살(킹사이즈)
    100g(약 9마리)
- ☐ 양배추(손바닥 크기) 100g(3장)
- ☐ 당근 20g(1/10개)
- ☐ 양파 100g(1/2개)
- ☐ 마늘 40g(4쪽)
- ☐ 쪽파 약간(고명용)
- ☐ 가쓰오부시 약간(고명용)
- ☐ 포도씨유 1큰술

양념

- ☐ 양조간장 2큰술
- ☐ 아가베시럽(또는 설탕) 2큰술
- ☐ 청주 2작은술
- ☐ 소금 약간
- ☐ 참기름 약간

아빠·엄마용 이렇게 만드세요!

매콤하게 즐기고 싶다면 분량을 반으로 나눠 고추기름에 볶거나 마늘을 넣고 볶을 때 마른 고추도 함께 넣고 볶으세요.

1 양배추는 5cm 길이로 채 썰고 당근은 얇게 반달 썬다. 양파는 가늘게 채 썰고 마늘은 얇게 편 썰고 쪽파는 송송 썬다.

2 냉동 생새우살은 소금물 (물 3컵＋소금 1/2작은술)에 담가 반쯤 해동한 후 3등분으로 편 썬다. ★ 새우살의 크기가 작다면 그냥 사용한다.

3 양념 재료를 골고루 섞는다. 끓는 물(4컵)에 우동면을 넣고 2분간 삶은 후 체에 밭쳐 물기를 뺀다. ★ 우동면을 넣고 면이 풀릴 때까지 가만히 두어야 면이 끊어지지 않는다.

4 달군 팬에 포도씨유를 두르고 마늘을 넣어 중약 불에서 30초간 볶은 후 양파를 넣어 30초, 당근을 넣어 1분, 양배추를 넣고 30초간 볶는다.

5 중간 불로 올려 새우살을 넣고 1분간 볶은 후 우동면을 넣고 1분, 양념을 넣고 2분간 더 볶는다.

6 그릇에 볶음우동을 담고 가쓰오부시와 쪽파를 올린다.

- • **여러 가지 해물을 넣어 풍성하게 만드세요.**
  오징어와 새우살, 홍합, 주꾸미 등
  다양한 해산물을 넣고 볶아도 맛있어요.

Tip

해물잡채

"명절이나 모임 때마다 빠지지 않고 나오는 잡채. 평범하지만 각각의 재료를
따로 볶아 식힌 다음 섞어야 해 손이 많이 가지요. 보통의 잡채와는 달리
여러 가지 해물을 듬뿍 넣고 만드는 해물잡채는 고급스럽고 맛과 향도
좋아요. 국내산 재료로 만든 당면이나 유기농 당면으로 구입해 만들어보세요."

조리시간 30분
(+ 당면 불리기 30분)

2~3인분

- [ ] 당면 100g(1줌, 손대중량 17쪽)
- [ ] 돼지고기(잡채용) 100g
- [ ] 냉동 생새우살(킹사이즈)
      100g(8마리)
- [ ] 오징어 몸통 50g(1/4마리)
- [ ] 양파 50g(1/4개)
- [ ] 당근 35g(1/6개)
- [ ] 백일송이버섯(또는 애느타리버섯)
      30g(약 1/2줌)
- [ ] 부추 30g(6줄기)
- [ ] 양조간장 1큰술
- [ ] 아가베시럽(또는 설탕) 1/2큰술
- [ ] 참기름 11작은술
- [ ] 통깨 1작은술

돼지고기 밑간
- [ ] 양조간장 1큰술
- [ ] 청주 1큰술
- [ ] 아가베시럽(또는 설탕) 1/2큰술

새우살과 오징어 밑간
- [ ] 청주 2작은술씩
- [ ] 소금 약간씩

달걀 지단 고명
- [ ] 달걀 1개
- [ ] 소금 약간
- [ ] 포도씨유 1작은술

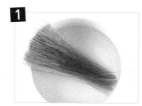

당면은 물에 담가 30분간 불린다. 지단용 달걀은 흰자와 노른자를 분리한 후 소금을 약간 넣고 각각 푼다.

볼에 돼지고기와 밑간 재료를 넣고 버무려 재운다. 양파는 채 썰고 당근은 가늘게 채 썬다. 백일송이버섯은 밑동을 잘라 결대로 찢고 부추는 5cm 길이로 썬다.

냉동 생새우살은 소금물 (물 3컵+소금 1/2작은술)에 담가 반쯤 해동한 후 3등분으로 편 썰어 밑간을 한다.

오징어는 손질한 후 흐르는 물에 깨끗이 씻어 5cm 길이로 가늘게 채 썬 다음 밑간을 한다.
★ 오징어 손질하기 81쪽 참고.

약한 불로 달군 팬에 포도씨유(1작은술)를 두르고 키친타월로 살짝 닦아낸다. 흰자와 노른자를 각각 붓고 황백 지단을 부친다. 한김 식힌 후 3cm 길이로 채 썬다.
★ 황백 지단 만들기 173쪽 참고.

⑤의 팬을 키친타월로 닦고 중약 불로 달군다. 참기름(1작은술)을 두른 후 양파를 넣고 2분간 볶아 덜어둔다. 당근도 같은 방법으로 볶아 덜어둔다.

····› next page

⑥의 팬을 약한 불로 달구고
참기름(1작은술)을 두른 후
부추를 넣어 30초간 살짝 볶아
덜어둔다. 백일송이버섯도
같은 방법으로 1분간 볶아
덜어둔다.

⑦의 팬을 키친타월로 닦고
중간 불로 달군다.
참기름(1작은술)을 두른 후
새우살을 넣고 2분 30초간
볶아 덜어둔다. 오징어도 같은
방법으로 2분간 볶아 덜어둔다.

⑧의 팬을 키친타월로 닦고
중약 불로 달군다.
참기름(1작은술)을 두른 후
돼지고기를 넣고 3분 30초간
볶아 덜어둔다.

끓는 물(5컵)에 당면을 넣고
센 불에서 6분간 삶은 후 체에
밭쳐 물기를 뺀다.

⑨의 팬을 중간 불로 달군 후
참기름(2작은술)을 두르고
당면, 양조간장, 아가베시럽을
넣어 1분간 볶아 덜어둔다.

큰 볼에 당면, 돼지고기,
새우살, 오징어, 양파, 당근,
부추, 백일송이버섯, 달걀
지단을 모두 넣고 가볍게
버무린 후 참기름(2작은술)과
통깨를 넣고 한 번 더 버무린다.

• 잡채 재료는
각각의 풍미를
살리기 위해
따로 볶아야 합니다.
채소나 해물 등 각각의
재료들은 따로 볶아 식힌
후 한데 버무려야 모양이
깔끔하고 맛있어요.
삶은 당면도 달군 팬에
참기름을 두르고 양조간장,
아가베시럽과 함께 넣어
볶으면 완성했을 때 색도
예쁘고 시간이 지나도
불지 않고 쫄깃하답니다.
기호에 따라 양조간장과
아가베시럽의 양은 늘려도
됩니다. 해물 외에 파프리카나
우엉조림, 목이버섯 등을
넣어도 맛있어요.

새우크림소스파스타

새우와 크림소스의 고소한 맛이
일품인 파스타예요. 크림소스로 만든 파스타는
느끼해서 좋아하지 않았는데, 이 메뉴는
온 가족 모두 맛있게 잘 먹는답니다.
만들 때 레시피의 양보다 소스를
넉넉하게 만들어 냉장 보관해두면 며칠은
두고 먹을 수 있어요. ❞

조리시간 30분
2인분

- □ 스파게티 200g
  (약 3줌, 손대중량 17쪽)
- □ 냉동 생새우살(킹사이즈)
  200g(약 18마리)
- □ 양파 100g(1/2개)
- □ 양송이버섯 40g(2개)
- □ 마늘 60g(6쪽)
- □ 화이트 와인(또는 청주) 2/3큰술
- □ 생크림 380ml(1과 9/10컵)
- □ 소금 약간
- □ 후촛가루 약간
- □ 달걀 노른자 2개분
- □ 버터 10g(1큰술)
- □ 올리브유 2큰술
- □ 파마산 치즈가루 약간(장식용)
- □ 파슬리가루 약간(장식용)

1 끓는 소금물(물 12컵＋소금 1과 1/2큰술)에 스파게티를 넣고 8~10분간 삶는다.

2 면을 삶는 동안 양파는 굵게, 양송이버섯은 밑동을 자르고 잘게, 마늘은 더 곱게 다진다.

3 냉동 생새우살은 소금물(물 3컵＋소금 1/2작은술)에 담가 반쯤 해동한 후 길게 반으로 가른다.

4 달군 팬에 올리브유(1큰술)를 두르고 버터를 넣어 중약 불에서 녹인다. 마늘을 넣고 30초간 볶은 후 양파를 넣고 1분 30초간 더 볶는다.

5 ①의 스파게티가 삶아지면 체에 밭쳐 물기를 뺀 후 올리브유(1큰술)를 넣고 버무린다. ★ 면을 소스에 바로 넣는 경우 올리브유에 버무리지 않아도 된다.

6 ④의 팬에 새우살, 양송이버섯, 화이트 와인을 넣고 중간 불로 올려 2분간 볶는다.

⑥의 팬에 생크림을 붓고
소금과 후춧가루로 간을 해
3분간 조린다.

⑦의 팬에 달걀 노른자를
넣고 뭉치지 않도록
나무젓가락으로 재빨리
젓는다.

⑧의 팬에 스파게티를 넣고
센 불로 올려 한 번 버무린 후
불을 끈다. 그릇에 스파게티를
담고 파마산 치즈가루와
파슬리가루를 뿌린다.

- **새우살의 크기가 크다면 좀 더 작게 잘라 주세요.**
  새우살은 모양대로 반 가르면 아이들이 먹기 좋아요. 그래도 아이들 먹이기에 크다면
  좀 더 작게 잘라주세요. 양송이버섯은 모양을 살려 얇게 편 써는 것도 좋지만 아이가 버섯을
  싫어한다면 잘게 다져 넣으세요.
- **스파게티 대신 밥을 넣으면 리조또로 즐길 수 있어요.**
  스파게티 200g은 어른 2명과 아이 1~2명이 먹기 적당한 양이에요. 엄마랑 아이 둘이서 먹을 때는 스파게티와
  소스 양을 반으로 줄여 만들면 됩니다. 크림소스에 스파게티 대신 밥을 넣고 리조또로 즐겨도 좋아요.
- **스파게티는 알 덴떼(Al dente)로 삶아야 맛있어요.**
  스파게티는 면 한 가닥을 반으로 잘라 가운데에 하얀 심이 살짝 남아 있는 정도가 되면 알맞게 삶아진
  상태입니다. 완전히 익히지 않는 까닭은 소스에 넣고 버무리면서 또 한 번 익기 때문이지요. 스파게티 삶은 물은
  1컵 정도 남겨두었다가 ⑨번 과정에서 소스가 너무 되직하면 넣으세요.

미트소스파스타

❝ 미트소스파스타는 친정엄마가 자주 해주셔서 어릴 적부터 즐겨 먹던 메뉴예요.
그래서 저도 아이에게 종종 해주는데요, 파스타 중 가장 좋아하더라고요.
이 메뉴의 포인트는 월계수잎과 오레가노가루예요. 그것만 넣으면 전문점에서
파는 것 같은 향이 난답니다. ❞

마늘빵만들기 230쪽

조리시간 1시간

2~3인분

★ 냉동 보관법 317쪽 참고

□ 스파게티 200g
　(약 3줌, 손대중량 17쪽)
□ 다진 쇠고기 200g
□ 양파 100g(1/2개)
□ 빨강 파프리카 40g(1/4개)
□ 노랑 파프리카 40g(1/4개)
□ 청피망 60g(1/2개)
□ 샐러리 10cm(생략 가능)
□ 양송이버섯 40g(2개)
□ 마늘 40g(4쪽)
□ 버터 20g(2큰술)
□ 화이트 와인(또는 청주) 1큰술
　(쇠고기 밑간용)
□ 시판용 토마토 페이스트 320g(1캔)
□ 물 250ml(1과 1/4컵)
□ 월계수잎 4장
□ 오레가노가루 1/4작은술
□ 소금 약간
□ 올리브유 1큰술

소스 양념

□ 양조간장 2큰술
□ 아가베시럽(또는 설탕) 2큰술
□ 토마토케첩 2큰술
□ 소금 약간

**• 미트소스는 양이
넉넉하니 오래 두고
먹으려면 냉동 보관하세요.**

미트소스는 한끼 먹을
분량만큼 덜어 냉동
보관하세요. 남은 소스는
또띠야나 식빵으로 피자를
만들 때 시판용 토마토소스
대신 사용하거나 마늘빵에
곁들이면 맛있어요.

1 양파, 빨강·노랑 파프리카, 청피망, 샐러리는 잘게 다진다. 양송이버섯은 밑동을 자르고 잘게 다진다. 마늘은 이보다 더 곱게 다진다.

2 끓는 소금물(물 12컵 +소금 1과 1/2큰술)에 스파게티를 넣고 8~10분간 삶는다. 체에 밭쳐 물기를 뺀 후 올리브유 (1큰술)를 넣고 버무린다.
★ 스파게티 면 삶기 194쪽 참고.

3 달군 팬에 올리브유(1큰술)를 두르고 버터를 넣어 중약 불에서 녹인다. 마늘을 넣고 30초간 볶은 후 양파를 넣고 3분간 더 볶는다.

4 ③의 팬에 쇠고기와 화이트 와인을 넣고 쇠고기가 덩어리지지 않게 주걱으로 자르듯이 섞으며 3분간 볶는다.

5 ④의 팬에 빨강·노랑 파프리카, 청피망, 샐러리, 양송이버섯을 넣고 중간 불로 올려 3분간 볶은 후 토마토 페이스트를 넣고 3분간 더 볶는다.

6 ⑤의 팬에 물(1과 1/4컵)과 소스 양념 재료를 넣고 센 불로 올려 끓어오르면 중약 불로 줄여 월계수잎과 오레가노가루를 넣고 10분간 저어가며 끓인다. 소금으로 간을 한 후 그릇에 스파게티를 담고 미트소스를 곁들인다.

명란젓파스타

❝ 명란젓으로 만든 파스타는 어떤 맛일까, 상상이 안 가시죠? 명란젓이 들어간 달걀찜만큼이나 감칠맛이 납니다. 전혀 비리지 않고 짭쪼름하면서 부드러운 맛이 일품이에요. ❞

조리시간 30분

2～3인분

- □ 스파게티 200g
  (약 3줌, 손대중량 17쪽)
- □ 명란 70g(2조각)
- □ 화이트 와인(또는 청주) 2/3큰술
  (명란 밑간용)
- □ 양파 100g(1/2개)
- □ 마늘 20g(2쪽)
- □ 쪽파 1줄기(장식용)
- □ 버터 10g(1큰술)
- □ 생크림 380ml(2와 9/10컵)
- □ 소금 약간
- □ 후춧가루 약간
- □ 올리브유 2큰술

아빠·엄마용 이렇게 만드세요!

크림소스의 느끼한 맛을 줄이고 싶다면 ⑥번 과정에서 면을 넣기 전에 소스를 두 팬으로 나눠 담고, 어른용에 다진 청양고추와 면을 넣어 버무리세요.

1️⃣ 끓는 소금물(물 12컵 +소금 1과 1/2큰술)에 스파게티를 넣고 8～10분간 삶는다. 체에 밭쳐 물기를 뺀 후 올리브유 (1큰술)를 넣고 버무린다.
★ 스파게티 면 삶기 194쪽 참고.

2️⃣ 명란은 씻어 껍질을 제거한 후 반으로 가른다. 칼등으로 긁어 알만 발라낸 후 화이트 와인을 뿌려 재운다.

3️⃣ 양파는 잘게 다지고 마늘은 양파보다 곱게 다진다. 쪽파는 송송 썬다.

4️⃣ 달군 팬에 올리브유(1큰술)를 두르고 버터를 넣어 중약 불에서 녹인다. 마늘을 넣고 30초간 볶은 후 양파를 넣고 1분 30초간 볶는다.

5️⃣ ④의 팬에 생크림을 붓고 소금, 후춧가루로 간을 한 후 중간 불로 올려 3분간 조린다.

6️⃣ ⑤의 팬에 명란을 넣고 덩어리지지 않게 젓가락으로 휘저으며 1분간 조린다. 스파게티를 넣고 센 불로 올려 버무린 후 불을 끈다. 그릇에 담고 쪽파를 뿌린다.

· **명란은 한 개씩 따로 포장해 냉동 보관하세요.**
명란은 한 개씩 랩이나 종이 포일로 싸서 냉동 보관한 뒤 만들기 전에 꺼내 물에 씻으면 껍질이 잘 벗겨져요. 그러면 알만 발라내기 좋답니다.

chapter 05

아빠 엄마 술안주로도 좋은
아이 간식

아이들 간식으로 무엇을 먹여야 할지 고민하는 엄마들을 위해
영양이 듬뿍 담긴 엄마표 건강 간식을 제안합니다.
쉽게 구할 수 있는 평범한 재료로 집에서도 쉽고 맛있게 만들 수 있는데다,
견과류나 김치, 두부 등 **아이가 잘 먹지 않는 재료를 간식으로**
만들어주면 거부감 없이 잘 먹어 좋답니다.
아빠 엄마 술안주로도 좋으니 아이와 함께 온 가족이 함께 즐기세요.

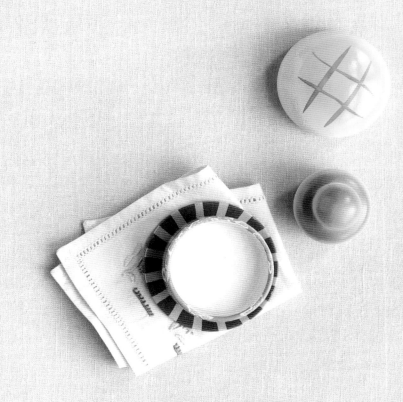

콘샐러드

콘샐러드는 그냥 먹어도 맛있지만 냉장고에 넣었다가 시원하게 만든 후
먹으면 더 맛있답니다. 튀김요리와 고기요리에 곁들여 먹어도 좋고, 식빵이나
모닝빵 등 빵 사이에 넣어 샌드위치를 만들어 먹어도 좋아요. 스트링치즈를 잘라
넣어 버무려도 잘 어울린답니다.

조리시간 15분
2~4인분

- □ 옥수수콘 약 220~240g(1병)
- □ 빨강 파프리카 20g(1/6개)
- □ 주황 파프리카 20g(1/6개)
- □ 노랑 파프리카 20g(1/6개)
- □ 청피망 10g(1/10개)
- □ 양파 20g(1/10개)

소스

- □ 마요네즈 2큰술
- □ 레몬즙 1작은술
- □ 아가베시럽(또는 설탕, 꿀) 1작은술
- □ 포도씨유 1작은술

양파는 통째로 찬물에 10분간
담가 매운맛을 제거한다.

소스 재료를 골고루 섞는다.

옥수수는 체에 밭쳐 물기를
뺀다.

빨강·주황·노랑 파프리카,
청피망, 양파는 굵게 다진다.

볼에 옥수수, 청피망, 양파,
빨강·주황·노랑 파프리카를
넣고 잘 섞은 후 소스를 넣고
골고루 버무린다.

- • **시판용 옥수수캔은 흐르는 물에 헹궈 사용하세요.**
  일반 옥수수캔은 유전자 조작 식품(GMO)인지 여부도 불투명한데다, 색을 선명하게 하고
  더 맛있게 느껴지도록 하기 위해 각종 식품첨가물이 들어 있는 경우가 많습니다.
  그래서 병에 들어 있는 유기농 제품을 사용하는 것이 가장 좋습니다. 만약 일반 옥수수캔을
  사용하는 경우 물기를 빼고 흐르는 물에 헹궈주세요.

호두강정 · 견과류볶음

호두강정

견과류볶음

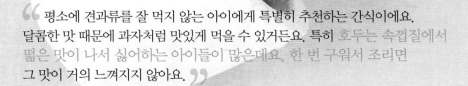

평소에 견과류를 잘 먹지 않는 아이에게 특별히 추천하는 간식이에요.
달콤한 맛 때문에 과자처럼 맛있게 먹을 수 있거든요. 특히 호두는 속껍질에서
떫은 맛이 나서 싫어하는 아이들이 많은데요, 한 번 구워서 조리면
그 맛이 거의 느껴지지 않아요.

호두강정

조리시간 30분
2~3인분
★ 오븐 150℃(미니오븐 140℃)

□ 호두 약 80g(2/3컵)
□ 아가베시럽(또는 설탕) 1큰술
□ 물 1큰술
□ 소금 약간
□ 포도씨유 1작은술

• 마른 팬에 굽거나 포도씨유에 튀겨도 좋아요.

호두를 구우면 질감이 바삭하고 속껍질의 떫은맛이 적게 납니다. 끓는 물에 호두를 30초 정도 데친 후 찬물에 담가두어 이쑤시개로 껍질을 벗기면 아이들이 훨씬 잘 먹을 거예요.

오븐은 150℃(미니오븐 140℃)로 예열한다. 오븐팬에 호두를 올린 후 오븐의 가운데 칸에서 15분간 굽는다.
★ 오븐에 따라 시간을 조절한다.

팬에 아가베시럽, 물, 소금, 포도씨유를 넣고 약한 불에서 끓인다.

끓어오르면 구운 호두를 넣고 2분간 골고루 버무린다.

종이 포일 위에 ③의 호두를 서로 달라붙지 않게 올려 완전히 식힌 후 먹는다.

견과류볶음

조리시간 15분
2~3인분

□ 견과류믹스(아몬드, 캐슈넛, 피칸 등 소금이 첨가되지 않은 것) 100g(약 1컵)
□ 소금 약간
□ 아가베시럽(또는 조청, 꿀) 1작은술
□ 포도씨유 1작은술

달군 팬에 포도씨유를 두르고 견과류와 소금을 넣어 중약 불에서 1분 50초간 볶는다.

①의 팬에 아가베시럽을 넣고 10초간 골고루 버무린 후 넓은 접시에 펼쳐 식힌다.
★ 볶은 견과류를 바로 팬에서 덜어내지 않으면 여열에 의해 탈 수 있다.

• 아가베시럽 대신 유기농 설탕을 뿌려도 좋아요.

설탕을 사용할 경우에는 견과류를 3분간 볶아 덜어낸 후 설탕을 뿌리면 됩니다.
아이와 외출하거나 소풍갈 때 작은 지퍼백이나 밀폐 용기에 담아주면 간식으로 먹기 좋아요.

고구마맛탕·누룽지과자

❝ 고구마를 튀겨 빠스처럼 바삭하게 만든 맛탕도 맛있지만, 아이들이 먹을 간식이니 튀기지 말고 구워 부드럽게 만드는 것이 좋아요. 엄마 입장에서는 이렇게 만들면 훨씬 간단하니 1석2조인 셈. 누룽지과자는 어릴 적 엄마가 누룽지를 튀겨 설탕에 버무려주셨던 간식을 응용한 과자예요. 프라이팬에 바삭하게 구우면 남편도 아이만큼 좋아할 거예요. ❞

누룽지과자

고구마맛탕

고구마맛탕

조리시간 25분
2~4인분

□ 고구마(중간 크기) 450g(2개)
□ 물 80ml(약 1/3컵)
□ 설탕 2와 1/2큰술
□ 아가베시럽(또는 조청) 2와 1/2큰술
□ 포도씨유 2큰술

고구마는 깨끗이 씻어
껍질을 벗긴 후 사방
2~2.5cm 크기로 썬다.

팬에 고구마, 물, 설탕,
아가베시럽을 넣고 뚜껑을
덮어 중약 불에서 15분간
조린다. ★ 젓가락으로 찔러
잘 익었는지 확인한다.

②의 팬에 포도씨유를 넣고
중간 불로 올려 1분간 더 조린다.

누룽지과자

조리시간 20분
약 8개분

□ 밥 100g(1/2공기)
□ 설탕 약간
□ 계핏가루 약간

달군 팬에 밥을 1큰술씩 떠서
손에 물을 묻혀가며 얇게 펼쳐
올린다.

약한 불에서 앞뒤 각각 10분씩
굽는다. ★ 누룽지의 크기나
두께에 따라 시간을 조절한다.

구운 누룽지과자를 접시에
담아 설탕과 계핏가루를 살짝
뿌린다.

- **과자 모양을 작게 만드는 게 번거롭다면 크게 구워도 좋아요.**
  누룽지과자를 작게 구우면 먹기도 좋고 모양도 예쁜데요.
  작게 만드는 게 번거롭다면 팬에 맞게 크기를 늘리고 얇게 펼쳐 구우세요.
- **설탕과 계핏가루를 뿌리면 딱딱해지지 않아요.**
  누룽지과자는 시간을 두고 먹으면 딱딱해질 수 있어 만든 후
  한김 식혀 바로 먹는 것이 좋아요. 보관해두고 먹는 경우
  누룽지를 만들어 한 번 튀긴 다음 키친타월 위에 올려
  기름기를 제거하고 설탕과 계핏가루를 뿌려주면 며칠 동안
  딱딱해지지 않습니다. 하지만 기름이 산패되기 때문에
  가급적 빨리 먹는 것이 좋아요.

Tip

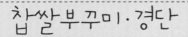
찹쌀부꾸미·경단

찹쌀부꾸미

찹쌀부꾸미와 경단은 찹쌀가루만 있으면
간단하게 만들 수 있어요. 부꾸미는 팥소를
올려 반으로 접어 구워도 맛있고, 대추나
잣으로 장식을 해도 좋아요. 경단은 아이와
함께 동글동글 빚기 좋은 떡이에요.
시럽이나 콩고물 외에 카스텔라를 체에
내려 가루로 만든 후 경단에 묻혀 먹어도
맛있어요.

경단

찹쌀가루 만들기

조리시간 6시간
찹쌀 1kg

1 찹쌀은 깨끗이 씻어 찬물에 5시간 정도 불린 후 체에 밭쳐
1시간 정도 물기를 뺀다.

2 ①의 찹쌀을 방앗간이나 떡집에서 가루로 빻는다.
★ 소금 간을 해달라고 요청한다. 집에서 사용하는 소금을
가져가도 된다.

**• 떡집에서 직접 빻은 찹쌀가루로 부꾸미나 경단을
만들면 더욱 맛있어요.**
시판용 찹쌀가루로 떡을 만들면 쓴맛이 나요. 집에서
찹쌀을 불려 떡집에서 직접 빻거나, 떡집에 미리 주문하면
찹쌀을 불리지 않아도 가루를 구할 수 있어요. 찹쌀가루는
한번 만들어두면 떡 만드는 것 외에 죽을 끓일 때나
전분가루 대신 사용하는 등 두루 쓰인답니다.
필요한 만큼 나눠서 냉동 보관하는 것이 좋고, 만들기
1~2시간 전에 미리 꺼내 실온에서 자연 해동하면 됩니다.

찹쌀부꾸미

조리시간 30분
13개분

☐ 찹쌀가루 110g(1컵)
☐ 뜨거운 물 3과 1/2큰술(찹쌀가루의
  수분 함량에 따라 가감)
☐ 포도씨유 3큰술

1 찹쌀가루는 체에 밭쳐
덩어리지지 않게 내린다.

2 ①에 뜨거운 물(2큰술)을 붓고
익반죽한 후 13등분해 둥글
납작하게 빚는다.
★ 젖은 면보로 덮어가며
빚어야 반죽이 굳지 않는다.
뜨거운 물 대신 뜨거운 설탕물
3과 1/2큰술(물 80ml + 설탕
80ml)로 익반죽해도 된다.

3 달군 팬에 포도씨유를 두르고
②의 반죽을 올려 약한 불에서
3분 30초, 뒤집어 2분간 굽는다.
★ 팬에 반죽을 모두 넣고 굽기
힘들면 기름을 조금씩 두르면서
나눠 굽는다. 기호에 따라 꿀이나
시럽을 곁들인다.

경단

조리시간 30분
약 13~15개분

☐ 찹쌀가루 110g(1컵)
　★ 찹쌀가루 만들기 209쪽 참고
☐ 뜨거운 물 3과 1/2큰술(찹쌀가루의
　수분 함량에 따라 가감)

선택 1 콩고물
☐ 콩고물 1/2컵

선택 2 시럽
☐ 물 50ml(1/4컵)
☐ 아가베시럽(또는 설탕) 2큰술
☐ 청주 약간
☐ 양조간장 1/2작은술

1. 찹쌀가루는 체에 밭쳐
덩어리지지 않게 내린다.

2. ①에 뜨거운 물을 붓고
익반죽한다. 반죽을
13~15등분해 둥글게 빚는다.
★ 젖은 면보로 덮어가며
빚어야 반죽이 굳지 않는다.
뜨거운 물 대신 뜨거운 설탕물
3과 1/2큰술(물 80ml + 설탕
80ml)로 익반죽해도 된다.

3. 끓는 물(4컵)에 반죽을 넣고
떠오르면 1분 30초 후 건져낸다.

4. ③의 건진 경단은 차가운 물에
1분간 담가둔 후 체에 밭쳐
물기를 뺀다.

5-1. 접시에 콩고물을 펼쳐 담고
경단을 올려 골고루 묻힌다.
(선택 1)

5-2. 작은 팬(또는 냄비)에 시럽
재료를 넣고 청주 향이 날아갈
때까지 중약 불에서 끓여
식힌다. 경단을 시럽에 넣고
골고루 버무려 꿀떡을 만든다.
(선택 2)

• **익반죽할 때 물의 양은 1작은술씩 늘려가며 조절하세요.**
찹쌀가루의 수분 함량에 차이가 있으니 물을 한꺼번에 넣지 말고, 1작은술씩 넣으면서
반죽의 되기를 보고 물의 양을 조절하세요.

Tip

66 감자를 그냥 쪄 먹어도 맛있지만 좀 더 특별한 간식으로 만들고 싶다면
포테이토스킨을 만들어보세요. 포슬포슬한 감자 속에 여러 가지 채소를 다져
넣어 영양 면에서도 좋고, 치즈를 올려 구우면 쫀득하고 고소해 아이들이 너무
좋아해요. 감자 속을 채우는 과정이 번거롭다면 으깨서 샐러드로 먹어도 좋아요. 99

조리시간 30분
감자 2개분
★ 오븐 200℃(미니오븐 190℃)

☐ 감자(큰 것) 400g(2개)
☐ 다진 쇠고기 25g
☐ 양파 20g(1/10개)
☐ 빨강 파프리카 10g(1/6개)
☐ 청피망 20g(1/5개)
☐ 양송이버섯 10g(1개)
☐ 체다 슬라이스치즈 1장
☐ 소금 약간
☐ 포도씨유 3작은술

쇠고기 양념
☐ 소금 약간
☐ 청주 1/2작은술
☐ 아가베시럽(또는 설탕) 1/2작은술

감자 속 양념
☐ 마요네즈 1큰술
☐ 소금 약간
☐ 아가베시럽(또는 설탕) 1/2작은술
☐ 머스터드 1/6작은술

감자는 깨끗이 씻어 반으로 가른다. 냄비에 물(4컵)과 감자를 넣고 뚜껑을 덮어 중간 불에서 20분간 삶는다.

볼에 쇠고기와 양념 재료를 넣고 버무려 재운다.

양파, 빨강 파프리카, 청피망은 잘게 다진다. 양송이버섯은 밑동을 자르고 굵게 다진다. 슬라이스치즈는 4등분한다.

달군 팬에 포도씨유(2작은술)를 두른 후 약한 불에서 양파를 넣고 1분, 빨강 파프리카와 청피망을 넣고 3분, 양송이버섯을 넣고 1분간 볶은 후 덜어둔다.

④의 팬에 포도씨유(1작은술)를 두르고 중간 불로 달군 후 ②의 쇠고기를 넣고 덩어리지지 않게 2분간 볶는다. 오븐은 200℃(미니오븐 190℃)로 예열한다.

①의 삶은 감자를 한김 식힌 후 테두리를 1cm 남기고 속을 파낸다. ★ 완전히 식은 상태보다 따뜻할 때 파내야 부서지지 않고 잘 파진다.

큰 볼에 감자 속 양념을 잘
섞은 후 ⑥의 파낸 감자 속,
④의 채소, ⑤의 쇠고기를
넣고 골고루 섞는다.

⑥의 감자에 ⑦의 속을 채워
넣는다. ★ 각각의 감자에 ⑦의
속을 1/4분량씩 채워 넣으면
봉긋한 모양이 된다.

감자 위에 슬라이스치즈를
1/4개씩 올린 후 오븐의
가운데 칸에서 5분간 굽는다.
★ 사진처럼 치즈 1/4개 분량을
6등분해 올려도 좋다.

- **오븐이 없다면 전자레인지(700W)를 사용해도 됩니다.**
  전자레인지를 사용할 경우 우선, 포도씨유(2/3큰술)를 두른 팬에 속 파낸 감자의 자른 단면을 올려
  중간 불에서 2분 30초, 뒤집어 껍질 부분을 2분간 구우세요. 그 다음 구운 감자에 속을 채우고
  슬라이스치즈를 올려 전자레인지에서 1분 30초간 익히면 완성됩니다.
- **쇠고기 대신 베이컨을 넣어도 좋아요.**
  단, 베이컨에는 각종 식품첨가물이 들어 있는 경우가 많으니 끓는 물에 한 번 데친 후
  팬에 굽고 다져서 사용하세요.
- **어린 아이는 피망 대신 파프리카를 넣으세요.**
  아이가 어리다면 피망도 맵다고 할 수 있어요. 이때는 피망을 빼고 파프리카를 더 넣어주세요.

웨지감자

66 웨지감자는 아이들도 잘 먹지만 어른들 맥주 안주로도 참 좋아요.
만드는 법도 그리 어렵지 않아 누가 만들어도 패밀리 레스토랑 메뉴 못지 않게
맛있고 푸짐하게 만들 수 있답니다. 치즈딥은 만드는 방법도 간단하고
활용도도 높아요. 웨지감자 외에 빵이나 크래커를 찍어 먹어도 맛있어요. 99

조리시간 30분
2~4인분

□ 감자(큰 것) 400g(2개)

양념
□ 파마산 치즈가루 1큰술
□ 다진 마늘 1/2큰술
□ 실온에 둔 부드러운 버터 10g(1큰술)
□ 올리브유 1큰술
□ 파슬리가루 1/2작은술
□ 소금 약간

치즈딥
□ 생크림(또는 우유) 50ml(1/4컵)
□ 체다 슬라이스치즈 2장

감자는 껍질째 깨끗이 씻어
길게 8등분한다.

냄비에 감자를 넣고 물(4컵)을
부은 후 뚜껑을 덮어 센 불에서
10분간 삶는다. 80% 정도 익힌
감자는 체에 밭쳐 물기를 뺀다.

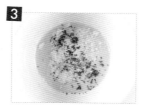

큰 볼에 양념 재료를 넣고
골고루 섞는다.

③에 삶은 감자를 넣고 골고루
버무린다.

달군 팬에 ④의 감자를 넣고
뒤적이며 중약 불에서 13분간
노릇하게 굽는다. ★ 뚜껑을
덮고 구우면 더 잘 익는다.

작은 팬(또는 냄비)에
생크림과 슬라이스치즈를
넣고 중간 불에서 끓어오르면
1분간 저어가며 녹인다.
★ 치즈와 생크림이 섞이면서
되직한 농도가 될 때까지
졸인다.

• **감자는 양념에 버무려 오븐에 구워도 좋아요.**
양념한 감자를 오븐팬에 올려 200℃(미니오븐 190℃)로 예열한 오븐의 가운데 칸에 넣고 15분, 뒤집어
10분간 구우면 됩니다. 집집마다 오븐의 온도가 다르니 감자의 상태를 확인하면서 시간을 조절하세요.
• **치즈딥에 생크림 대신 우유를 사용해도 됩니다.**
치즈딥을 만들 때 생크림이 없다면 우유로 대체해도 좋아요. 하지만 생크림이 더 맛있답니다.
우유를 사용하는 경우에는 졸이는 시간을 조금 늘려 농도가 나도록 해주세요. 완성한 치즈딥 위에
파슬리가루를 뿌리면 더욱 먹음직스러워요.

Tip

알감자버터구이

❝ 고속도로 휴게소의 대표 간식, 그 맛을 살려 만든 알감자 버터구이에요. 버터를 두른 팬에 감자를 구워 설탕 솔솔 뿌려 먹는 재미가 제 맛이랍니다. 껍질을 벗기는 일이 번거롭기는 하지만, 한번 구우면 온 가족이 신나게 먹을 수 있어요. ❞

조리시간 30분
2~4인분

□ 알감자 500g(지름 4cm 약 20개)
□ 버터 10g(1큰술)
□ 포도씨유 1큰술
□ 설탕 2/3큰술(기호에 따라 가감)
□ 소금 약간(기호에 따라 가감)

알감자는 깨끗이 씻은 후
크기가 큰 것은 작은 것에
맞춰 2등분한다.

냄비에 물(4컵)을 붓고
알감자를 넣은 후 뚜껑을 덮어
센 불에서 13분간 삶는다.
★ 오래 삶으면 구우면서
부서지기 쉽다.

삶은 알감자는 체에 밭쳐
물기를 뺀 후 한김 식혀
껍질을 벗긴다.

달군 팬에 포도씨유를 두르고
버터를 넣어 녹인 후 알감자를
넣고 굴려가며 중약 불에서
7분간 노릇하게 굽는다. 기호에
따라 설탕과 소금을 뿌린다.

• **감자를 너무 익히지 마세요.**
　감자를 삶을 때 너무 많이 삶으면 굽는 도중 부서질 수 있으니 80% 정도만 익히세요.
• **버터와 포도씨유는 1:1 비율로 섞어서 사용하세요.**
　버터를 넣고 구우면 버터 향으로 인해 풍미가 더 좋아집니다. 하지만 버터만 사용할 경우 쉽게
　탈 수 있고, 자칫 맛이 느끼해질 수 있으니 포도씨유와 섞어서 쓰면 좋아요.

고구마김치구이

> 고구마에는 뭐니뭐니 해도 김치가 제일 잘 어울리지요. 영양적인 면에서도
> 칼륨이 풍부한 고구마가 김치의 나트륨 배출을 도와 같이 먹으면
> 좋다고 합니다. 아이들과 함께 고구마 김치구이를 만들어보세요. 재미있는
> 추억으로 남는 간식이 될 거예요.

조리시간 30분
고구마 2개분

★ 오븐 200℃(미니오븐 190℃)

☐ 고구마(큰 것) 2개(500g)
☐ 씻은 배추김치 20g(약 1/7컵)
☐ 양파 20g(1/10개)
☐ 빨강 파프리카 10g(1/13개)
☐ 청피망 10g(1/10개)
☐ 피자치즈 50g(1/2컵)
☐ 포도씨유 1작은술

고구마는 깨끗이 씻은 후
반으로 갈라 김 오른 찜기에
넣고 뚜껑을 덮어 20분간
찐다.

씻은 김치는 물기를 꼭 짜
잘게 다진다. 양파, 빨강
파프리카, 청피망도 잘게
다진다.

달군 팬에 포도씨유를 두르고
김치, 양파, 빨강 파프리카,
청피망을 넣어 중약 불에서
2분 30초간 볶는다. 오븐은
200℃(미니오븐 190℃)로
예열한다.

①의 고구마는 한김 식힌
후 테두리를 1cm 남기고
속을 파낸다. ★ 완전히 식은
상태보다 따뜻할 때 파내야
부서지지 않고 잘 파진다.

④의 파낸 고구마 속과 ③의
채소를 골고루 섞는다.

④의 고구마에 ⑤의 속을
채우고 피자치즈를 뿌린 후
오븐의 가운데 칸에서 5분간
굽는다. ★ 각각의 고구마에
⑤의 속을 1/4분량씩 채우면
봉긋한 모양이 된다.

• **고구마 속을 채우는 과정이 번거롭다면 그냥 드세요.**
고구마 속을 만들어 샐러드처럼 그냥 먹어도 맛있어요. 그릇에 담아 피자치즈를 올린 후
오븐에 구워도 됩니다.

단호박호두전

> 어른 아이 모두 다 좋아하는 달콤한 단호박전은 호두나 단호박을 싫어하는
> 아이에게 먹이면 좋은 전이에요. 채썬 단호박의 식감 때문에 호두가
> 들어있는지 알지 못하고, 단호박으로 만든 전이라는 것도 거의 느껴지지
> 않는답니다.

조리시간 30분
약 3장분

- ☐ 단호박 150g(약 1/4통)
- ☐ 호두 30g(1/4컵)
- ☐ 물 300ml(1과 1/2컵)
- ☐ 밀가루 10큰술
- ☐ 소금 약간
- ☐ 포도씨유 3큰술

단호박은 껍질을 벗기고 속을
파낸 후 가늘게 채 썬다.

도마에 키친타월을 깔고
호두를 올려 잘게 다진다.

볼에 물, 밀가루, 소금을 넣고
잘 섞는다.

③에 단호박과 호두를 넣고 잘
섞는다.

달군 팬에 포도씨유(1큰술씩)를
두른 후 ④의 반죽 1/3분량을
올려 중약 불에서 5분, 뒤집어
3분간 굽는다. 나머지 2장도
같은 방법으로 굽는다.
★ 전의 크기나 두께에 따라
시간을 조절한다.

• **단호박은 채 썰어 냉동실에 보관하세요.**
 미리 넉넉하게 채 썰어 냉동실에 넣어두면 언제든 바로 전을 구워 먹을 수 있어요. 단호박이나
 늙은호박은 강판에 갈아서 전을 구워도 좋지만 채 썰어 전을 구우면 씹는 식감이 더 좋아요.

닭꼬치

❝ 닭꼬치는 식은 후 먹어도 맛있어 간식뿐 아니라 도시락반찬으로도 좋아요.
닭꼬치를 만들 때는 닭고기를 얇게 포 뜨듯이 손질해야 속까지 양념이
잘 배고 아이도 잘 먹는답니다. 하나하나 꼬치에 꽂는 것이 번거롭다면 그냥
조려서 밥 반찬으로 만들어도 좋아요. ❞

조리시간 30분
2인분

- □ 닭가슴살 200g(2쪽)
- □ 데리야끼소스 8큰술
- □ 포도씨유 1작은술

데리야끼소스

- □ 양파 40g(1/5개)
- □ 마늘 30g(3쪽)
- □ 대파(흰 부분) 10cm
- □ 통후추 10알(1/2작은술)
- □ 설탕 1/2컵
- □ 청주 1/4컵
- □ 양조간장 3/4컵
- □ 아가베시럽(또는 조청) 1/4컵
- □ 물 300ml(1과 1/2컵)

아빠·엄마용 이렇게 만드세요!

데리야끼소스는 활용도가 높아 아이용과 어른용을 따로 만들어두어도 좋아요. 어른용에는 청양고추나 풋고추, 마른 고추 1개를 넣고 끓이면 좀 더 매콤하고 깔끔한 맛으로 즐길 수 있어요.

냄비에 데리야끼소스 재료를 넣고 중약 불에서 끓인다.

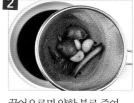

끓어오르면 약한 불로 줄여 15분간 끓인 후 체에 받쳐 국물을 거른다. ★ 남은 소스는 밀폐 용기에 담아 냉장 보관하며 사용한다.

닭가슴살은 세로로 4등분한 후 0.5cm 두께로 저민다. 꼬치에 4~5개씩 꽂아 준비한다. ★ 자투리채소가 있다면 같이 꽂는다.

달군 팬에 포도씨유를 두르고 닭꼬치를 올려 중간 불에서 앞뒤 각각 1분씩 굽는다.

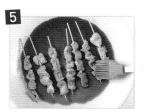

④의 팬에 데리야끼소스(8큰술)를 넣고 솔을 이용해 ④의 닭꼬치 앞뒤로 소스를 발라가며 5분간 조린다. ★ 팬의 크기나 두께에 따라 시간을 조절한다. 기호에 따라 소스 양을 가감한다.

- **집에 있는 자투리채소를 활용해 같이 꽂아 주세요.** 아이용에는 파프리카, 어른용에는 대파(흰 부분)나 반으로 자른 마늘, 꽈리고추 등을 함께 꽂아 조리면 더욱 맛있어요. 꼬치에 꽂지 않고 그냥 만들어도 됩니다.
- **데리야끼소스는 넉넉히 만들어 두고 쓰세요.** 데리야끼소스는 한번에 넉넉히 만들어서 냉장 보관하며 쓰세요. 각종 볶음밥이나 고기볶음 등의 소스로 다양하게 응용할 수 있답니다. 오래 두고 먹으려면 중간중간 한번씩 끓여서 식힌 후 드세요.

치킨너겟

" 치킨너겟은 냉동식품으로도 많이 나와 있어 엄마들이 자주 해먹이는
간식인데요, 냉동 인스턴트제품은 여러 부위의 고기를 섞어 만들고, 각종 부산물과
식품첨가물이 들어 있기도 해서 아이에게 먹이기 걱정된답니다. 집에서도 맛있게
만들 수 있으니 넉넉하게 만들어 냉동실에 넣어두고 드세요. "

조리시간 40분
약 20개분
★ 냉동 보관법 317쪽 참고

☐ 닭가슴살 400g(4쪽)
☐ 양파 100g(1/2개)
☐ 빵가루 5큰술(반죽용)
☐ 밀가루 2큰술(반죽용)
☐ 카레가루 1작은술
☐ 소금 약간
☐ 후춧가루 약간
☐ 포도씨유 적당량

튀김옷
☐ 밀가루 3큰술
☐ 달걀 1개
☐ 빵가루 1과 1/2컵
☐ 물 2작은술(빵가루용)

양파는 잘게 다진다.

닭가슴살 3쪽은 곱게 다지고
나머지 1쪽은 굵게 다진다.

볼에 닭가슴살, 양파, 반죽용
빵가루(5큰술), 밀가루(2큰술),
카레가루를 넣고 소금과
후춧가루로 간을 한 다음
골고루 섞어 반죽한다.

도마(또는 접시)에 밀가루를
약간 뿌린 후 ③의 반죽을
2큰술씩 떼어 둥글 납작하게
빚는다.

볼에 달걀을 잘 풀어
달걀물을 만든다. 접시에
튀김옷 빵가루(1과 1/2컵)를
담고 물을 부어 손으로
비벼가며 골고루 섞는다.
★ 빵가루에 수분이 없기
때문에 물을 넣어 튀김옷을
입히면 구울 때 타지 않는다.

④의 반죽 앞뒤에 밀가루,
달걀물, 빵가루 순으로
튀김옷을 골고루 입힌다.
달군 팬에 포도씨유를 두르고
반죽을 올려 중약 불에서
앞뒤 각각 4~5분씩 노릇하게
튀기듯이 굽는다.
★ 너겟의 두께나 크기에 따라
시간을 조절한다.

• **닭가슴살은 덩어리 있게 다져주세요.** 닭가슴살을 다질 때는 덩어리가 조금 있게 다져야
  씹는 식감이 좋아요. 덩어리가 조금 있어도 반죽이 찰져 잘 빚어집니다.
• **남은 너겟은 냉동 보관해도 좋아요.** 남은 너겟은 종이 포일을 깐 쟁반에 담고 너겟과
  종이 포일을 1장씩 올려 켜켜이 쌓아 냉동 보관하세요. 해동할 때는 실온에서 자연 해동할 뒤
  기름에 튀기면 됩니다. ★ 홈메이드 냉동 식품 냉동 보관법 317쪽 참고.

Tip

불고기베이크

담백한 발효빵 속에 고소한 치즈와 불고기가 듬뿍 들어 있는 불고기베이크는 간식뿐 아니라 출출할 때 간단한 식사로도 좋아요. 발효빵은 시간과 정성이 많이 들어가지만 집에서 직접 만들면 그 맛과 향이 남다르지요. 빵이 질척거리지 않고 맛있게 구워지려면 속 재료인 불고기를 수분 없이 볶아야 합니다.

조리시간 35분
(+반죽 발효하기 1시간)

2개분

★ 오븐 180℃(미니오븐 170℃)

- 쇠고기(불고기용) 100g
- 양파 40g(1/5개)
- 노랑 파프리카(또는 피망, 버섯 등)
  50g(약 1/3개)
- 대파 5cm
- 피자치즈 50g(1/2컵)

빵 반죽
- 강력분 200g(2컵)
- 인스턴트 드라이이스트
  4g(2작은술)
- 실온에 둔 달걀 1개
- 실온에 둔 우유 80ml(2/5컵)
- 설탕 10g(1큰술)
- 소금 2g(1작은술)
- 포도씨유 2큰술

쇠고기 밑양념
- 배 20g(1/15개)
- 양파 20g(1/10개)
- 청주 약간

불고기 양념
- 양조간장 1큰술
- 아가베시럽(또는 설탕) 1/2큰술

큰 볼에 빵 반죽 재료를 넣고 골고루 섞어 반죽한다. 반죽이 마르지 않게 물을 약간 뿌린 후 랩을 씌워 따뜻한 곳에서 1시간 정도 발효시킨다.

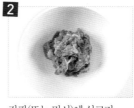

강판(또는 믹서)에 쇠고기 밑간용 배와 양파를 간다. 쇠고기를 밑양념해 10분간 재운다.

양파, 노랑 파프리카, 대파는 가늘게 채 썬다.

②의 쇠고기에 불고기 양념을 넣고 버무려 5분간 재운다. 오븐은 180℃(미니오븐 170℃)로 예열한다.

달군 팬에 ④의 쇠고기, 양파, 노랑 파프리카, 대파를 넣고 물기가 많이 생기지 않도록 센 불에서 1분 30초간 볶는다.
★ 수분 없이 볶아야 나중에 빵을 구웠을 때 질척거리지 않는다.

도마에 밀가루를 약간 뿌린 후 ①의 반죽을 2등분해 올린다. 밀대를 이용해 20×15cm 크기의 타원형모양으로 민다.

····▶ next page

⑥의 반죽 가운데에
피자치즈를 약간 뿌리고
⑤의 불고기를 얹은 후 다시
피자치즈를 약간 뿌린다.

속 재료가 빠져 나오지 않도록
⑦의 반죽 양 끝부분을 잘
오므려 잡아준다. 오븐팬 위에
그릴망을 올려 반죽의 오므린
부분이 아래로 향하게 올린다.

⑧의 반죽 윗부분에 남은
피자치즈를 뿌린 후 오븐의
가운데 칸에서 10분간 굽는다.
★ 사용하는 오븐에 따라
차이가 있으므로 들여다
보면서 시간을 조절한다.

- **발효는 따뜻한 곳에서 시켜주세요.**
  반죽을 발효시킬 때 따뜻한 실온에 두거나 오븐의 발효기능, 또는 중탕발효법(뜨거운 물(3컵)과
  찬물(1컵)을 섞은 볼 위에 반죽이 담긴 볼을 올려서 발효)을 이용하면 좋아요. 단, 중탕발효법의
  경우 중간에 2~3차례 물 온도를 확인해 온도가 떨어졌으면 처음처럼 따뜻한 물로 바꿔주세요.
  오븐에 발효기능이 있다면 오븐을 이용해 발효하는 것이 실패율이 적어요.
- **달걀과 우유는 실온에 두어 차갑지 않은 상태로 사용하세요.**
  차가운 달걀이나 우유를 사용하면 발효가 잘 되지 않아 오래 발효해야 합니다.
  우유가 차갑다면 중탕으로 미지근하게 데운 다음 사용하세요.

마늘빵·식빵스틱

> 샌드위치를 만들고 남은 식빵자투리와 바게트로 간단히 만들어 먹을 수 있는 간식입니다. 식빵자투리는 질겨서 잘 먹지 않게 되는데 식빵스틱으로 만들면 바삭해서 맛있게 먹을 수 있어요. 마늘 스프레드를 만들 때는 익지 않은 생마늘과 버터를 그냥 섞으면 아이들이 먹기 매울 수 있으니 마늘을 먼저 볶아 식힌 후 버터와 섞어주세요.

식빵스틱

마늘빵

마늘빵

조리시간 15분
마늘 스프레드 130g 분량
★ 오븐 170℃(미니오븐 160℃)

□ 바게트빵 적당량
□ 마늘 30g(3쪽)
□ 실온에 둔 부드러운 버터
　 100g(10큰술)
□ 아가베시럽(또는 설탕) 1큰술
□ 올리브유 3큰술
□ 파슬리가루 약간(생략 가능)

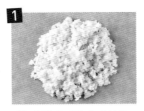

1 마늘은 잘게 다진다. 오븐은 170℃(미니오븐 160℃)로 예열한다.

2 팬에 올리브유를 두르고 다진 마늘을 넣어 약한 불에서 3분간 볶은 후 불을 끄고 식힌다.

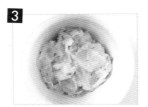

3 볼에 버터와 아가베시럽, 파슬리가루를 넣고 잘 섞은 후 ②를 넣고 골고루 섞는다.

4 바게트빵(또는 식빵)에 ③의 마늘 스프레드를 골고루 펴 바른다. ★ 마늘 스프레드는 양이 넉넉하니 기호에 따라 적당량 바른다. 너무 많이 바르면 느끼할 수 있다. 파슬리가루는 마늘 스프레드에 넣지 않고 빵 위에 뿌려도 된다.

5 종이 포일을 깐 오븐팬에 ④를 올린 후 오븐의 가운데 칸에서 7분간 굽는다. ★ 사용하는 오븐에 따라 차이가 있으므로 들여다 보면서 시간을 조절한다.

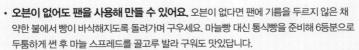

- **오븐이 없어도 팬을 사용해 만들 수 있어요.** 오븐이 없다면 팬에 기름을 두르지 않은 채 약한 불에서 빵이 바삭해지도록 돌려가며 구우세요. 마늘빵 대신 통식빵을 준비해 6등분으로 두툼하게 썬 후 마늘 스프레드를 골고루 발라 구워도 맛있답니다.
- **남은 마늘 스프레드는 냉장 보관하세요.** 마늘 스프레드를 넉넉히 만들어 냉장 보관해두면 한동안 간식 걱정을 덜 수 있어요. 빵에 발라 그냥 먹어도 맛있답니다.
- **냉장고 속에 들어 있는 버터를 그냥 사용할 수도 있어요.** 버터를 실온에 두지 않았다면 마늘을 볶은 올리브유가 따뜻할 때 버터와 섞으세요. 그러면 버터가 크림 상태가 됩니다. 만일 버터가 물처럼 녹았다면 다시 굳히면 됩니다.

식빵스틱

조리시간 15분
16개분
★ 오븐 170℃(미니오븐 160℃)

□ 식빵 자투리 16개(식빵 4개분)
□ 포도씨유 1큰술

선택 1 계피설탕
□ 설탕 1/3작은술
□ 계핏가루 약간

선택 2 치즈가루
□ 파마산 치즈가루 2작은술
□ 파슬리가루 약간

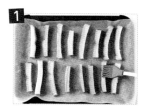

오븐은 170℃(미니오븐 160℃)로 예열한다. 종이 포일을 깐 오븐팬에 식빵 자투리를 올리고 솔을 이용해 앞뒤에 포도씨유를 바른다. ★ 빵의 상태에 따라 기름 양을 가감한다.

기호에 따라 계피설탕이나 치즈가루를 선택해 식빵 자투리에 골고루 뿌린다.

오븐의 가운데 칸에서 7분간 굽는다. ★ 사용하는 오븐에 따라 차이가 있으므로 들여다보면서 시간을 조절한다.

• **오븐이 없어도 팬을 사용해 만들 수 있어요.**
오븐이 없다면 팬에 기름을 두르지 않은 채 약한 불에서 식빵이 바삭해지도록 돌려가며 구우세요.
접시에 담고 계피설탕이나 치즈가루를 뿌리면 됩니다.

Tip

벨기에와플

" 저희 아이가 좋아하는 간식이 와플이에요. 여러 가지 종류가 있지만
그 중에서도 겉은 바삭하고 속은 쫄깃한 벨기에와플을 가장 좋아하지요.
넉넉하게 만들어 냉장고나 냉동실에 생지로 보관하면 실온에서 살짝
해동한 후 언제든지 바로 구워줄 수 있어서 좋아요. "

딸기콤포트 만들기 310쪽

조리시간 30분
(＋반죽 발효시키기 50분)
약 7개분

□ 강력분 140g(약 1과 1/2컵)
□ 박력분 50g(약 1/2컵)
□ 설탕 30g(3큰술)
□ 실온에 둔 부드러운 버터
　 30g(3큰술)
□ 우유 25ml(약 1과 1/3큰술)
□ 생크림(또는 우유) 20ml
　 (약 1/3큰술)
□ 이스트 1작은술
□ 소금 1g(1/2은술)
□ 호두 20g(약 2큰술)
□ 건크랜베리(또는 건블루베리,
　 건라즈베리) 20g(2큰술)
□ 포도씨유 1작은술(팬 코팅용)

1 강력분과 박력분은 함께 체에
내린다.

2 큰 볼에 호두와 건베리믹스를
제외한 모든 재료를 넣고
10분간 치대어 반죽을 매끈하게
만든다. 랩을 씌워 따뜻한
곳에서 40분간 1차 발효시킨다.

3 호두와 건크랜베리는 잘게
다진다.

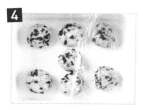

4 ②에 호두와 건크랜베리를
넣고 잘 섞은 후 반죽을
7등분해 둥글게 빚는다.
쟁반에 담고 랩을 씌워 따뜻한
곳에서 10분간 2차 발효시킨다.

5 달군 와플팬에 솔을 이용해
포도씨유를 바른다. 팬의 가운데에
반죽을 올리고 뚜껑을 덮어 약한
불에서 앞뒤로 3~4분간 굽는다.

• **발효는 따뜻한 곳에서 시켜주세요.** 반죽을 발효시킬 때 따뜻한 실온에 두거나 오븐의 발효기능, 또는
중탕발효법(뜨거운 물(3컵)과 찬물(1컵)을 섞은 볼 위에 반죽이 담긴 볼을 올려서 발효)을 이용하면 좋아요.
단, 중탕발효법의 경우 중간에 2~3차례 물 온도를 확인해 온도가 떨어졌으면 처음처럼 따뜻한 물로 바꿔주세요.
오븐에 발효기능이 있다면 오븐을 이용해 발효하는 것이 실패율이 적어요.

• **와플팬에 따라 굽는 시간은 조절하세요.** 팬을 위아래로 뒤집어가며 반죽을 골고루 익히세요.
중간에 팬을 열어 색을 보면서 구우면 타지 않고 예쁘게 구워집니다.

• **냉장고에 보관한 생지는 실온에서 살짝 해동하세요.** 실온에 그냥 두어도 좋지만 시간이 없는
경우에는 손으로 조금 주무르면 금세 말랑해집니다.

두부깨 그리시니

“ 좋은 재료로 첨가물 없이 만들어 안심하고 먹을 수 있는 웰빙 간식이에요.
바삭하고 담백한 맛에 자꾸 손이 가게 되지요. 두부를 싫어하는 아이들도
잘 먹어 아이 영양 간식으로도, 어른들의 주전부리용으로도 손색 없답니다.
밀폐 용기나 지퍼백에 넣어두면 눅눅해지지 않아 오래 두고 먹을 수 있어요. ”

조리시간 20분
(+반죽 휴지시키기 30분)
약 10~15개분
★ 오븐 220℃(미니오븐 210℃)

☐ 두부(부침용) 300g(큰 팩, 1모)
☐ 박력분 130g(약 1과 1/3컵)
☐ 베이킹파우더 1/2작은술
☐ 소금 1/2작은술
☐ 설탕 20g(2큰술)
☐ 통깨 1큰술
☐ 검은깨 1큰술
☐ 올리브유 1큰술

두부는 칼면으로 부드럽게
밀어 으깬 후 면보에 넣고
물기를 꼭 짠다.

박력분과 베이킹파우더를 함께
체에 내린 후 나머지 재료를
넣고 골고루 섞는다. ★ 오래
치대면 과자가 딱딱해진다.

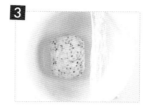

②의 반죽에 랩을 씌워
실온에서 30분간 휴지시킨다.
★ 여름철에는 냉장고에서
휴지시킨다.

오븐은 220℃(미니오븐 210℃)
로 예열한다. ③의 반죽을
조금씩 뗀 후 양 손바닥으로
비벼가며 약 15cm 길이의 막대
모양으로 빚는다. 오븐팬 위에
그릴망을 올리고 그 위에 반죽을
가지런히 올린다. ★ 반죽의
두께가 얇을수록 바삭하다.

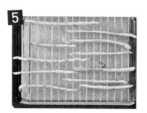

오븐의 가운데 칸에서 10분간
굽는다. ★ 사용하는 오븐에
따라 차이가 있으므로 들여다
보면서 굽는 시간을 조절한다.

• **그리시니 반죽은 두께가 얇을수록 더 바삭해요.**
반죽을 오래 치댈수록 과자가 딱딱해지기 때문에
너무 많이 치대지 마세요. 또 얇게 빚어야 더 바삭하니
최대한 얇게 만드세요.

Tip

시리얼바

시리얼바는 한번 만들어두면 간식이나 든든한 아침식사 대용으로 먹을 수 있어요. 아이가 좋아하는 말린 과일과 견과류를 듬뿍 넣어서 만들어보세요. 취향대로 얼마든지 응용이 가능하답니다. 예쁘게 포장해서 지인에게 선물해도 좋고, 아이 유치원에 간식으로 만들어 보내도 인기만점이에요.

조리시간 30분

2~3인분

★ 오븐 180℃(미니오븐 170℃)

□ 유기농 무슬리 200g(1과 2/3컵)
□ 아몬드슬라이스 10g
　　(약 1과 1/2큰술)
□ 건베리믹스(건블루베리,
　　건크린베리, 건라즈베리 등) 약간
□ 호두 10g(1알)
□ 호박씨 10g(2/3큰술)
□ 해바라기씨 10g(1큰술)
□ 아가베시럽(또는 조청) 1/2컵
□ 버터 30g(3큰술)
□ 소금 약간

오븐은 180℃(미니오븐 170℃)로 예열한다. 아몬드슬라이스와 건베리믹스는 굵게 다진다.

큰 볼에 무슬리, 호두, 호박씨, 해바라기씨, 아몬드슬라이스, 건베리믹스를 넣고 골고루 섞는다.

달군 팬에 아가베시럽, 버터, 소금을 넣고 중약 불에서 끓이다 끓어오르면 1분간 졸인다.

②를 넣고 골고루 섞어 3분간 볶는다.

바닥이 평평하고 네모난 내열 용기에 종이 포일을 깔고 ④를 넣어 주걱으로 꾹꾹 누른다. ★ 시리얼 위에 종이 포일을 깔고 같은 크기의 그릇에 올려 꾹꾹 눌러도 된다.

오븐의 아랫칸에서 7분간 구워 꺼낸 후 약간 식었을 때 먹기 좋은 크기로 썬다.

- **시리얼바는 조금 따뜻할 때 먹기 좋게 자르세요.**
  시리얼바는 깔끔하게 자르기가 쉽지 않아요. 완전히 식으면 쉽게 잘리지 않으니 조금 따뜻한 상태에서 자르세요. 자르다가 부서진 면은 손으로 다듬으면 됩니다.
- **시리얼바의 재료는 다양하게 응용하세요.**
  재료에 표기된 견과류 종류를 다 넣지 않아도 전체 중량과 비율만 맞추면 좋아하는 재료를 다양하게 응용해서 만들 수 있어요.

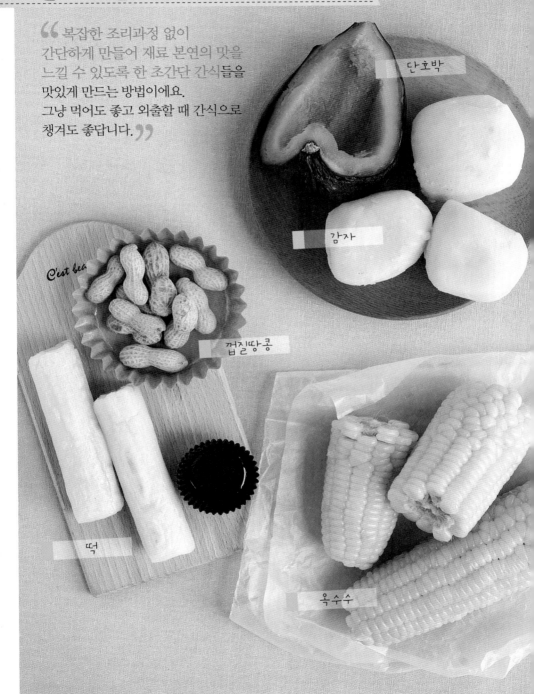

집에서 쉽게 만드는 초간단 간식 1

" 복잡한 조리과정 없이
간단하게 만들어 재료 본연의 맛을
느낄 수 있도록 한 초간단 간식들을
맛있게 만드는 방법이에요.
그냥 먹어도 좋고 외출할 때 간식으로
챙겨도 좋답니다. **"**

단호박

감자

C'est bea

껍질땅콩

떡

옥수수

껍질땅콩

시중에 판매하는 땅콩 중에는 중국산이 많기
때문에 햇땅콩을 껍질째 구입해 집에서
직접 볶거나 삶아 먹는 것이 좋아요. 삶은 땅콩은
식감이 부드러워 아이들도 잘 먹고 나들이용
간식으로도 좋답니다.

껍질땅콩 삶기

1 땅콩은 껍질째 잘 씻어 냄비에 땅콩이 잠길 만큼
물을 붓고 땅콩을 넣어 센 불에서 끓인다.

2 끓어오르면 중간 불로 줄여 35분간 삶은 후
체에 밭쳐 물기를 뺀다. 한김 식힌 후 껍질을
까서 먹는다. ★ 속껍질이 부드러워 속껍질째
먹어도 된다.

껍질땅콩 볶기

크고 넓은 팬을 달군 후 겉껍질만 벗긴 땅콩
알맹이를 넣고 약한 불에서 속껍질이 잘 벗겨질
때까지 볶아서 식힌 후 먹는다.

감자

껍질이 얇게 일어난 햇감자는 익혔을 때 분이
포실포실 올라와 맛있답니다. 감자를 익힐 때
마지막에 설탕 1큰술 정도 넣고 흔들어 익히면
맛이 달콤해 아이들도 잘 먹어요.

감자 삶기

1 감자는 깨끗이 씻은 후 필러를 이용해 껍질을
벗긴다.

2 냄비에 감자를 넣고 감자가 잠길 만큼 물을
부은 후 소금을 약간 넣고 센 불에서 끓인다.

3 끓어오르면 중간 불로 줄여 감자가 다 익을
때까지 25분간 삶는다.

4 ③의 삶은 물을 따라버린 후 냄비를 흔들어가며
1분간 더 구워 포실포실하게 만든다.

단호박

단호박은 쪄서 먹을 때 영양 손실이 가장
적습니다. 찜기나 전자레인지(700W)를 사용해
찌는 방법이 있는데요. 찜기를 사용할 경우에는
단호박에 물기가 닿지 않게 주의하세요. 또한
속 부분이 바닥을 향하게 올려 놓고 쪄야 물기가
생기거나 질퍽해지지 않습니다.

단호박 찌기

1 단호박은 깨끗이 씻은 후 4등분해서 속을
파낸다.

2 내열 용기에 단호박을 겹치지 않게 올린 후
랩을 씌워 전자레인지에서 15~18분간
(단호박 1통 기준) 익힌다.
★ 김이 오른 찜기에 올릴 경우 17분간 익힌다.

옥수수

길거리에서 파는 옥수수가 맛있는 이유는
인공감미료(뉴슈가)를 넣고 쪘기 때문이에요.
집에서는 설탕을 넣고 쪄도 그렇게 달콤하지가
않아요. 가을에 나오는 사탕옥수수를 구입해
물과 소금을 넣고 삶으면 그 맛이 달고
부드러운데요. 넉넉하게 사다가 한꺼번에 쪄서
냉동 보관하면 오래 두고 먹을 수 있어요.
해동할 때는 한 번 더 찌세요.

옥수수 삶기

1 옥수수는 껍질과 수염을 제거한 후 깨끗이
씻는다.

2 냄비에 옥수수, 소금, 설탕을 넣고 옥수수가
잠길 만큼 물을 부은 후 센 불에서 끓어오르면
중약 불로 줄여 뚜껑을 덮고 50분간 삶는다.

떡

요즘에는 유기농 떡을 작은 팩에 담아
판매하는데요, 먹기 좋게 소포장되어 바쁠 때
아침식사 대용이나 아이 간식용으로 요긴하게
쓰여요. 떡은 냉동 보관해두고 먹을 때마다
꺼내 실온에서 자연 해동하면 됩니다. 가래떡은
팬에 노릇하게 구워 조청이나 꿀에 찍어 먹으면
맛있어요.

스트링치즈

밤

과일

고구마

완두콩

스트링치즈

치즈는 성분이나 함량을 꼭 확인해야 합니다.
부드럽고 맛있지만, 우유 함량이 적거나
식품첨가물이 많이 들어 있는 경우가 있기
때문이지요. 스트링치즈는 성분의 대부분이
원유로 이루어진데다, 소금이 조금 들어 있는
정도라 안심하고 먹일 수 있어요. 하지만
제품마다 염도가 다르기 때문에 몇 가지 종류를
먹어본 후 입맛에 맞는 제품을 고르는 것이
좋아요.

스트링치즈 활용법

1 치즈 겉면의 팩을 벗긴 후 내열 용기에 담아
전자레인지(700W)에서 5~10초간 데워
결대로 찢어먹는다.

2 볶음밥이나 달걀말이에 다져서 넣는다.

3 먹기 좋게 썰어 샐러드에 토핑으로 사용한다.

4 밀가루, 달걀물, 빵가루 순으로 튀김옷을 입힌
후 기름에 튀겨 치즈스틱을 만든다.

밤

약단밤은 밤 종류 중에서 당도와 영양가가
가장 높아요. 소화가 잘 돼 이유식 재료로도
쓰이지요. 탄수화물, 단백질, 비타민, 칼슘 등이
풍부하게 들어 있어 몸이 약한 사람이나 성장기
청소년들에게 특히 좋답니다.

약단밤 굽기

못 쓰는 팬에 약단밤을 넣고 뚜껑을 덮어
약한 불에서 껍질이 벌어질 때까지 굽는다.
★ 시판용 약단밤은 껍질에 칼집이 넣어져 있어
따로 손질할 필요가 없다. 구울 때 중간중간 팬을
흔들어 구우면 껍질이 쉽게 벌어진다.

일반 밤 찌기

밤은 깨끗이 씻은 후 김이 오른 찜기에 넣고
뚜껑을 덮어 중간 불에서 30분간 찐다.
★ 밤이 골고루 익도록 중간에 뒤섞는다.
밤에 따라익는 정도가 다르므로 25분 정도
쪘을 때 1개를 꺼내 먹어본다.

고구마

집에서 고구마를 맛있게 익혀 먹으려면 바닥이
두껍고 못 쓰는 팬에 구워보세요. 간단하게
만들 수 있는데다, 고구마가 잘 타지 않고 촉촉하게
구워져 고구마의 단맛이 잘 살아나지요. 특히
호박고구마를 팬에 익히면 맛있게 구워집니다.

군고구마 굽기

1 고구마는 깨끗이 씻은 후 체에 밭쳐 물기를 뺀다.

2 못 쓰는 팬에 고구마를 넣고 뚜껑을 덮어
가장 약한 불에서 1시간 정도 익힌다.
★ 중간중간 팬을 흔들어 골고루 익힌다.
고구마의 양에 따라 익는 정도가 다르니
중간중간 젓가락으로 찔러 확인한다.

완두콩

콩을 싫어하는 아이들도 껍질째 삶은 완두콩을
먹으라고 하면 껍질 벗기는 재미와 달콤한 콩맛에
빠져 다들 좋아한답니다. 완두콩은 껍질을 벗기지
않은 상태로 4~5일 정도 냉장 보관해도 됩니다.
오래 두고 먹을 경우에는 한번 찐 후 속 알맹이만
위생팩에 담아 냉동 보관한 다음 밥을 할 때 넣어
드세요.

완두콩 찌기

1 완두콩은 껍질째 깨끗이 씻는다.

2 김이 오른 찜기에 완두콩을 올리고 뚜껑을 덮어
15분간 찐 다음 껍질을 까서 먹는다.
★ 콩의 양에 따라 익는 정도가 다르므로
10분 정도 쪘을 때 1개를 꺼내 먹어본다.

과일

과일은 꼬치에 꽂거나 통째로 얼려 먹으면
좋아요. 과일 중에서도 딸기, 바나나, 수박, 키위,
포도, 홍시, 파인애플 등은 집에서 얼려 먹기
좋은 과일이에요. 대형마트나 백화점 식품코너,
인터넷 쇼핑몰에서 망고, 체리, 크랜베리,
블루베리 등의 냉동 과일을 구입해 먹어도
좋습니다. 통째로 얼린 과일을 믹서에 넣고 갈아
슬러시나 셔벗, 아이스크림으로 만들어주면
아이들이 좋아할 거예요.

chapter 06

사먹는 것보다 더 맛있는
홈메이드 디저트

아이들이 수시로 사달라고 떼쓰는 아이스크림과 음료.
아무리 시원하고 맛있어도 밖에서 사먹는 아이스크림이나 음료는
각종 첨가물 때문에 아이에게 매번 사먹이기는 부담되지요.
이럴 때는 집에 있는 과일이나 견과류를 이용해 직접 만들어주세요.
특히 직접 생과일로 갈아 만든 음료는
몸에 나쁜 첨가물도 쏙 빼고 비타민도 풍부해
얼마든지 안심하고 먹일 수 있답니다. 별다른 재료나 조리법이 없어도
맛있게 만들어져 누구나 만만하게 따라 할 수 있어요.

딸기아이스크림·단팥 아이스바·미숫가루 아이스바

❝ 사먹는 아이스크림에는 색소와 유화제 등의 식품첨가물이
많이 들어 있으니 집에서 엄마표로 직접 만들어주세요.
아이가 좋아하는 과일, 우유, 플레인 요구르트 등 천연재료만
있으면 뚝딱 만들 수 있답니다. 이들 재료를 얼린 후 포크로
긁어주면 되니 만드는 것도 어렵지 않아요. ❞

딸기아이스크림

미숫가루 아이스바

단팥 아이스바

3~4인분

□ 딸기 100g(5개)
□ 떠먹는 플레인 요구르트 170g
　(85g×2통)
□ 생크림(또는 우유) 100ml(1/2컵)
□ 아가베시럽(또는 꿀) 4큰술
□ 소금 약간

딸기아이스크림

1 딸기는 깨끗이 씻어 꼭지를 떼낸 후 사방 1cm 크기로 썬다. 아가베시럽(1큰술)을 넣고 버무려 10분간 재운다.

2 ①에 플레인 요구르트, 생크림, 아가베시럽(3큰술), 소금을 넣고 골고루 섞은 후 바닥이 평평하고 넓은 밀폐 용기에 부어 냉동실에서 1시간 정도 얼린다.

3 살짝 언 아이스크림을 꺼내 포크로 골고루 긁은 후 다시 얼린다. 1시간 간격으로 꺼내 긁고 얼리는 과정을 3~4번 반복한 후 먹는다. ★ 포크로 긁고 얼리는 과정을 반복하면 입자가 더욱 부드러워진다.

4개분

□ 팥소 6큰술
　★ 팥소 만들기 310쪽 참고
□ 우유 4큰술
□ 아가베시럽(또는 꿀) 2큰술

단팥 아이스바

1 볼에 팥소, 우유, 아가베시럽을 넣고 골고루 섞는다.

2 아이스크림 틀에 ①을 넣고 냉동실에서 3시간 정도 얼린 후 꺼내 먹는다.

4개분

□ 미숫가루 3큰술
□ 우유 8큰술
□ 아가베시럽(또는 꿀) 2큰술

미숫가루 아이스바

1 볼에 미숫가루, 우유, 아가베시럽을 넣고 골고루 섞는다.

2 아이스크림 틀에 ①을 넣고 냉동실에서 3시간 정도 얼린 후 꺼내 먹는다.

· **딸기아이스크림은 꽁꽁 얼린 후 긁어서 바로 먹어도 됩니다.**
　용기나 냉동실의 온도에 따라 얼어 있는 정도가 다를 수 있으니 얼리는 시간은 조절하세요.
　아이스크림을 얼릴 때는 스테인레스 용기가 가장 좋습니다. 아이스크림이 부드럽기 때문에
　꽁꽁 얼려도 포크로 잘 긁어져요. 기호에 따라 각종 과일을 넣어 활용해보세요.

우유빙수·호두우유

❝ 아이가 우유를 먹지 않아 고민하는 엄마들에게 추천하는 메뉴예요.
저희 아이도 젖병을 뗀 후 오랫동안 우유를 잘 먹지 않았는데, 우유에 호두를 곱게
갈아 섞어주니 잘 먹더라고요. 우유빙수는 빙수기가 없어도 집에서 손쉽게
만들 수 있어요. 어른 아이 모두 좋아하는 간식이니 온 가족이 함께 즐겨보세요. ❞

우유빙수

호두우유

1~2인분

☐ 우유 180~200ml(1컵)
☐ 팥소 2큰술(기호에 따라 가감)
   ★ 팥소 만들기 310쪽 참고
☐ 아가베시럽(또는 꿀) 1큰술
   (기호에 따라 가감)

우유빙수

1 밀폐 용기에 우유를 부어 냉동실에서 3시간 이상 얼린다.

2 얼린 우유를 꺼내 숟가락으로 부수거나 믹서에 넣고 간다.
   ★ 너무 오래 얼렸다면 포크로 긁어 빙수 얼음을 만든다.

3 그릇에 ②를 담고 팥소를 얹은 후 아가베시럽을 뿌린다.
   기호에 따라 견과류나 찰떡 등을 곁들인다.
   ★ 팥소나 아가베시럽은 기호에 따라 가감한다.

1~2인분

☐ 호두 15g(2와 1/2개)
☐ 우유 180~200ml(1컵)

호두우유

1 팬에 기름을 두르지 않은 채 호두를 넣고 약한 불에서 2분간
   바삭하게 굽는다.

2 믹서에 구운 호두를 넣고 곱게 간다.

3 컵에 우유를 붓고 ②의 호두를 넣어 골고루 섞는다.

• **일반 우유 대신 유기농 우유를 먹이는 것이 좋아요.**
꼭 유기농 우유를 먹여야 하는지 궁금해하는 엄마들이 많이 계시지요? 유기농 우유는
일반 우유에 비해 원유의 품질 관리가 까다로워 아이에게 안심하고 먹일 수 있습니다.
가장 큰 특징은 농약, 화학비료, 항생제, 수유촉진제 등을 사용하지 않고, 반드시 젖소에게
유기농 사료와 2급 생활용수 이상만 먹인다는 것이지요. 그래서 일반 우유에 비해 비타민 E
함량이 절반 가량 높고, 산화방지 성분도 2~3배 정도 많은 편입니다. 유기농 우유는
집하 방식이 아니라 단일목장에서 생산한 것이 좋아요.

미숫가루 견과류쉐이크·바나나쉐이크

“ 미숫가루 견과류쉐이크는 맛도 고소하고 아이 두뇌활동도 돕는
영양만점 음료예요. 바나나쉐이크는 누구나 집에서 한번쯤 만들어 봤을 만큼
간단한 음료지요. 바나나 외에 딸기, 블루베리 등 다른 과일들을 넣고 다양하게
만들어보세요. ”

바나나쉐이크

미숫가루 견과류쉐이크

1~2인분

☐ 미숫가루 3큰술
☐ 견과류 20g(2큰술)
☐ 얼음 1컵
☐ 우유 180~200ml(1컵)
☐ 아가베시럽(또는 꿀) 1큰술
　　(기호에 따라 가감)

미숫가루 견과류쉐이크

1 팬에 기름을 두르지 않은 채 견과류를 넣고 약한 불에서
　　2분간 바삭하게 굽는다.

2 믹서에 견과류, 얼음, 우유, 아가베시럽을 넣고 견과류가
　　다 갈릴 때까지 곱게 간다.

3 ②에 미숫가루를 넣고 한 번 더 간다.

1~2인분

☐ 바나나 약 200g(1개)
☐ 우유 180~200ml(1컵)
☐ 아가베시럽(또는 꿀) 1큰술
　　(기호에 따라 가감)

바나나쉐이크

1 바나나는 껍질을 벗기고 양끝을 1~2cm 정도 썰어낸다.

2 믹서에 바나나, 우유, 아가베시럽을 넣고 간다.

• **바나나 꼭지 부분을 1~2cm 정도 잘라 사용하세요.**
　　바나나는 검은 반점을 띨 때 가장 맛있어요. 잔류농약 없이 먹으려면 바나나를 벗긴 뒤
　　양끝을 1~2cm 정도 잘라 사용하세요. 유기농 바나나라면 그냥 먹어도 좋습니다.

• **우유를 따뜻하게 데우면 견과류라떼로 즐길 수 있어요.**
　　믹서에 견과류를 넣고 갈아 가루로 만든 다음 따뜻하게 데운 우유와 미숫가루, 아가베시럽을
　　넣고 잘 섞으면 따뜻한 라떼가 완성된답니다. 견과류는 호두, 해바라기씨, 호박씨, 아몬드,
　　피칸 등 집에 있는 견과류를 다양하게 사용하세요. 여러 종류를 섞어 사용해도 좋아요.

> 밖에서 사먹는 값비싼 시판 음료보다 훨씬 신선하고 맛있는 과일 스무디.
> 냉동실에 과일을 얼려 다양한 스무디로 만들어보세요. 여러 가지 과일로
> 만들면 맛도 다양하고, 사각사각 씹히는 질감이 아이스크림처럼 느껴져
> 아이들에게 인기가 좋아요. ""

블루베리스무디

키위슬러시

망고스무디

딸기스무디

키위슬러시

1~2인분

☐ 골드키위 약 330g(4개)
☐ 얼음 1컵
☐ 아가베시럽(또는 꿀) 1큰술
　(기호에 따라 가감)

1 키위는 껍질을 벗겨 4~6등분한다.
2 믹서에 키위, 얼음, 아가베시럽을 넣고 간다.

망고스무디

1~2인분

☐ 냉동 망고 100g(3~4개)
☐ 망고주스 100ml(1/2컵)
☐ 얼음 1컵
☐ 아가베시럽(또는 꿀) 2/3큰술
　(기호에 따라 가감)

1 믹서에 냉동 망고, 망고주스, 얼음, 아가베시럽을 넣고 간다.
　★ 얼음이 다 갈릴 때까지 중간에 한번씩 뒤적인다.

딸기스무디

1~2인분

☐ 딸기(또는 냉동 딸기) 100g(5개)
☐ 포도주스 100ml(1/2컵)
☐ 얼음 1컵
☐ 아가베시럽(또는 꿀) 1/2큰술
　(기호에 따라 가감)

1 믹서에 딸기, 포도주스, 얼음, 아가베시럽을 넣고 간다.
　★ 얼음이 다 갈릴 때까지 중간에 한번씩 뒤적인다.

· 포도주스를 넣어 딸기스무디를 만들어 보세요.
딸기스무디는 보통 우유나 떠먹는 플레인 요구르트를 넣고
만드는데요, 포도주스를 넣어 만들면 상큼한 맛이 일품이랍니다.

블루베리스무디

1~2인분

☐ 냉동 블루베리 60g(1/2컵)
☐ 떠먹는 플레인 요구르트 85g(1통)
☐ 얼음 1컵
☐ 아가베시럽(또는 꿀) 1큰술
　(기호에 따라 가감)

1 믹서에 냉동 블루베리, 플레인 요구르트, 얼음,
아가베시럽을 넣고 간다. ★ 얼음이 다 갈릴 때까지 중간에
한번씩 뒤적인다.

· 슬러시나 스무디를 냉동실에 얼리면
셔벗(Sherbet)이나 아이스크림으로 즐길 수 있어요.
아가베시럽을 1~2큰술 더 넣고 밀폐 용기에 담아
냉동실에 1시간 정도 얼려주세요. 얼린 후
꺼내 포크로 긁으면 셔벗으로, 1시간 간격으로 꺼내
포크로 긁고 얼리는 과정을 3~4번 반복하면
아이스크림으로 즐길 수 있답니다.

레몬·오렌지·파인애플·블루베리에이드

" 시판 음료에 들어 있는 첨가물 성분을 들여다 보면 음료 하나도 깐깐하게 챙기게 됩니다. 특히 탄산음료는 성장기 아이들이 먹으면 칼슘이 빠져나가 뼈가 약해지는데요, 탄산음료의 톡 쏘는 맛에 길들여져 있다면 그것 대신 천연과즙과 무첨가 탄산수로 만든 홈메이드 에이드를 만들어주세요. "

블루베리에이드

파인애플에이드

레몬에이드

오렌지에이드

1~2인분

☐ 레몬 125g(1개, 또는 레몬즙 1/4컵)
☐ 탄산수 330ml(1과 3/5컵)
☐ 아가베시럽(또는 설탕시럽) 2큰술
☐ 얼음 약간

레몬에이드

1 레몬은 베이킹소다(또는 소금)로 껍질을 박박 문질러 깨끗이 씻는다.

2 레몬즙이 잘 나오도록 손으로 레몬을 꾹꾹 누르면서 굴린 후 반으로 갈라 즙을 낸다. 씨는 버리고 과육과 레몬즙은 따로 둔다.

3 컵에 레몬즙과 과육, 아가베시럽, 얼음을 넣고 잘 섞은 후 탄산수를 부어 한 번 더 섞는다.

1~2인분

☐ 오렌지 240g
　(1개, 또는 오렌지즙 1/2컵)
☐ 탄산수 330ml(1과 3/5컵)
☐ 아가베시럽(또는 설탕시럽) 2큰술
☐ 얼음 약간

오렌지에이드

1 오렌지는 베이킹소다(또는 소금)로 껍질을 박박 문질러 깨끗이 씻는다.

2 오렌지를 반으로 갈라 즙을 낸다. 씨는 버리고 과육과 오렌지즙은 따로 둔다.

3 컵에 오렌지즙과 과육, 아가베시럽, 얼음을 넣고 잘 섞은 후 탄산수를 부어 한 번 더 섞는다.

1~2인분

☐ 파인애플 링 100g(1개)
☐ 탄산수 330ml(1과 3/5컵)
☐ 아가베시럽(또는 설탕시럽) 2큰술
☐ 얼음 약간

파인애플에이드

1 믹서에 파인애플 링, 아가베시럽을 넣고 간다.

2 컵에 ①의 파인애플 과육, 얼음을 넣고 잘 섞은 후 탄산수를 부어 한 번 더 섞는다.

1~2인분

☐ 블루베리 60g(1/2컵)
☐ 탄산수 330ml(1과 3/5컵)
☐ 아가베시럽(또는 설탕시럽) 3큰술
☐ 얼음 약간

블루베리에이드

1 믹서에 블루베리의 2/3분량, 탄산수(30ml), 아가베시럽을 넣고 간다.

2 컵에 ①을 부어 얼음과 남은 블루베리를 넣고 잘 섞은 후 나머지 탄산수(300ml)를 부어 한 번 더 섞는다.

• **설탕시럽은 이렇게 만드세요**
　설탕과 물을 1:1 비율로 섞은 후 설탕이 녹을 정도로만 중간 불에서 끓여 식히세요. 이때 저으면 결정이 생기기 때문에 젓지는 마세요. 에이드에 넣는 시럽의 양은 기호에 따라 가감하세요.

chapter 07

아이 기 살려주는
도시락·파티음식

아이가 소풍이나 나들이 갈 때 혹은 친구들을 집에 초대할 때
특별한 메뉴로 아이의 기를 살려주고 싶지 않으세요?
아이들이 좋아할 뿐만 아니라 만드는 과정도 번거롭지 않아
엄마도 편한 도시락과 파티음식을 소개합니다.

차 안이나 야외에서 먹기 편하면서
식어도 맛이 좋은 도시락에서부터
아이의 생일이나 특별한 날에 함께 만들면 좋은 파티음식까지

간단하지만 폼 나는 메뉴들로 아이에게 즐거운 추억을 만들어주세요.

유부초밥

" 만드는 정성이 필요하지만 가격도 저렴하고 맛도 좋은 홈메이드 유부초밥.
유부를 데쳐서 조려야 하는 번거로움이 있지만 시판 유부보다
기름기도 적고 맛도 순하며 양념도 안전한 재료만 사용할 수 있어 좋아요.
도시락용 유부초밥은 반을 잘라서 한입 크기로 만들어주세요. "

조리시간 30분
20개분

□ 뜨거운 밥 400g(2공기)
□ 유부 10장
□ 다진 쇠고기 50g
□ 당근 20g(1/10개)
□ 우엉조림 20g
　★ 우엉조림 만들기 37쪽 참고
□ 소금 약간
□ 포도씨유 2작은술

배합초
□ 설탕 1큰술
□ 식초 3큰술
□ 소금 1작은술

가쓰오부시 국물
□ 물 200ml(1컵)
□ 다시마 5×5cm
□ 가쓰오부시 2g(1/2컵)

쇠고기 밑간
□ 양조간장 1작은술
□ 아가베시럽(또는 설탕) 1/2작은술
□ 청주 약간

유부조림 양념
□ 설탕 1큰술
□ 양조간장 1큰술
□ 청주 1작은술

작은 냄비에 배합초 재료를 넣고 중간 불에서 설탕과 소금이 녹을 때까지 끓인다.

냄비에 물(1컵)을 붓고 다시마를 넣어 센 불에서 끓이다 끓어오르면 중약 불로 줄여 5분간 끓인다. 불을 끄고 가쓰오부시를 넣어 5분간 우린 후 체에 밭쳐 국물만 거른다.

당근과 우엉조림은 잘게 다진다. 쇠고기는 밑간에 버무려 재운다.

달군 팬에 포도씨유(1작은술)를 두른 후 당근을 넣고 소금을 뿌려 중약 불에서 1분 30초간 볶아 덜어둔다.

④의 팬을 키친타월로 닦고 중간 불로 달군 후 포도씨유(1작은술)를 두른다. 다진 쇠고기를 넣고 주걱으로 자르듯이 2분간 볶는다.

끓는 물(4컵)에 유부를 넣고 센 불에서 30초간 데친 후 체에 밭쳐 물기를 뺀다.

⋯→ next page

⑥의 유부를 한김 식혀
물기를 꼭 짠 후 대각선으로
반 잘라 겉과 속을 뒤집는다.

작은 냄비에 가쓰오부시 국물
(1/2컵)과 유부조림 양념을 넣고
설탕이 녹을 때까지 센 불에서
저어가며 끓인다. 끓어오르면
약한 불로 줄여 유부를 넣고
숟가락으로 눌러가며 7분간
조린다. ★ 냄비의 크기나
두께에 따라 시간을 조절한다.

큰 볼에 뜨거운 밥과 ①의
배합초(2큰술)를 넣고
부채(또는 선풍기)로 부쳐가며
주걱으로 밥을 자르듯이
섞는다.

⑨의 초밥에 쇠고기와 당근,
우엉조림을 넣고 잘 섞는다.

⑧의 유부를 한김 식혀 물기를
꼭 짠 후 다시 뒤집는다.
유부 속에 ⑩의 초밥을 채워
넣는다.

- **초밥용 밥은 꼬들꼬들하게 지어야 맛있어요.**
  초밥용 밥은 쌀과 물의 양을 1:0.8 비율로 잡아 꼬들꼬들하게 지어야 합니다. 유부 속에
  초밥을 채워 넣을 때는 모서리부터 넣고 나머지를 채워 꼭꼭 누르세요. 초밥에 들어가는
  속 재료는 오이나 후리가케 등 자유롭게 사용해도 됩니다.

저희 아이가 첫 소풍 가는 날, 도시락을 어떻게 쌀까 고민하다가 만들었던 것이 꼬치미니김밥이에요. 어떻게 하면 야외에서 깔끔하게 먹일 수 있을까 고민하다 만든 메뉴지요. 김밥 옆에 예쁘게 과일꼬치도 곁들이면 센스만점의 멋진 소풍도시락이 완성된답니다.

조리시간 30분
김밥 16줄

□ 밥 400g(2공기)
□ 쇠고기 50g
□ 오이 50g(1/4개)
□ 당근 40g(1/5개)
□ 단무지(김밥용) 2줄
□ 우엉조림 20g
　★ 우엉조림 만들기 37쪽 참고
□ 김 4장
□ 달걀 1개
□ 소금 약간
□ 포도씨유 3작은술

쇠고기 양념
□ 양조간장 1작은술
□ 아가베시럽(또는 설탕) 1/2작은술
□ 청주 약간
□ 참기름 약간

밥 양념
□ 소금 1/3작은술
□ 통깨 1작은술
□ 참기름 1작은술

볼에 쇠고기와 쇠고기 양념
재료를 넣고 버무려 재운다.

오이는 칼등으로 가시를
긁어낸 후 길게 4등분해 씨를
제거하고 10cm 길이로
굵게 채 썬다. 소금을 약간
뿌려 10분간 절인 후 물기를
꼭 짠다.

당근은 가늘게 채 썬다.
단무지는 길이로 반 가른 후
4등분해 16개를 만든다.

김은 4등분한다. 볼에 달걀을
잘 풀어 달걀물을 만든다.

약한 불로 달군 팬에
포도씨유(1작은술)를 두르고
키친타월로 살짝 닦아낸다.
달걀물을 붓고 2분간 익혀
윗면의 달걀물이 흐르지 않을
만큼 익으면 뒤집어 1분간
익힌다. 한김 식힌 후 10cm
길이로 채 썬다.

⑤의 팬을 키친타월로
닦고 중약 불로 달군 후
포도씨유(1작은술)를 두른다.
당근을 넣고 소금을 약간
뿌려 중약 불에서 1분 30초간
볶아 덜어둔다.

⑥의 팬을 키친타월로 닦고
중간 불로 달군다.
포도씨유(1작은술)를 두르고
쇠고기를 넣어 중간 불에서
2분간 볶는다.

볼에 밥과 밥 양념을 넣고
밥알이 으깨지지 않도록
주걱으로 자르듯이 섞어
16등분한다.

김 위에 양념한 밥을 얇게 펴고
쇠고기, 오이, 당근, 단무지,
우엉조림, 달걀 지단을 올려
손으로 돌돌 만다. 나머지
15개도 같은 방법으로 만다.

김의 끝부분을 아래로 향하게
놓은 후 참기름을 펴 바른다.
김밥 양쪽 끝부분을 잘라낸 후
3~4등분해 꼬치에 꽂는다.
★ 꼬치 끝은 안전해지도록
가위로 잘라낸다.

- **김밥용 밥은 고슬고슬하게 지어야 맛있어요.**
  김밥을 만들 때 쌀과 물의 비율을 1:1로 하세요. 초김밥으로 만들고 싶다면 밥을 좀 더 꼬들꼬들하게
  지은 후 참기름과 소금 대신 유부초밥이나 케이크초밥처럼 단촛물을 만들어 간을 하면 됩니다.
- **오이 껍질까지 사용한다면 무농약이나 유기농 오이를 쓰세요.**
  일반 오이로 만들 때는 아이가 먹을 음식이니 껍질을 얇게 벗기고 쓰세요.

케이크초밥

**❝** 아이 친구들을 초대해 작은 파티를 연다면 밥 하나도 예쁘게 담아서 준비해보세요.
이 메뉴는 감탄사가 절로 나오는 예쁜 케이크초밥이에요. 케이크 재료는
엄마 취향에 따라 다양하게 응용하세요. 플라스틱 소재로 된 컵을 사용한다면
모든 재료를 충분히 식힌 후 담아야 환경호르몬으로부터 안전하답니다.**❞**

조리시간 30분

2~3인분

□ 뜨거운 밥 400g(2공기)
□ 참치캔 60g(2/3캔)
□ 우엉조림 60g
　★ 우엉조림 만들기 37쪽 참고
□ 오이 50g(1/4개)
□ 당근 60g(3/10개)
□ 달걀 1개
□ 마요네즈 1큰술
□ 소금 약간(당근 볶음용)
□ 포도씨유 2작은술

배합초

□ 설탕 2큰술
□ 식초 3큰술
□ 소금 1작은술

참치는 체에 밭쳐 숟가락으로 누르면서 기름기를 제거한다. 우엉조림, 오이, 당근은 잘게 다진다.

작은 냄비에 배합초 재료를 넣고 중간 불에서 설탕과 소금이 녹을 때까지 끓인다. 볼에 달걀을 잘 풀어 달걀물을 만든다.

볼에 참치, 오이, 마요네즈를 넣고 골고루 섞는다. 달군 팬에 포도씨유(1작은술)를 두른 후 당근을 넣고 소금을 뿌려 중약 불에서 1분 30초간 볶아 덜어둔다.

약한 불로 달군 팬에 포도씨유(1작은술)를 두르고 키친타월로 살짝 닦아낸 후 달걀물을 붓고 2분, 뒤집어 1분간 익힌다. 한김 식힌 후 3cm 길이로 채 썬다.

볼에 뜨거운 밥과 배합초(2큰술)를 넣고 부채(또는 선풍기)로 부쳐가며 주걱으로 밥을 자르듯이 섞는다.

투명한 컵에 밥, 당근, 밥, 참치와 오이, 밥, 우엉조림, 밥, 달걀 지단을 순서대로 층층이 쌓아 담는다.

• **초밥용 밥은 꼬들꼬들하게 지어야 맛있어요.**
초밥용 밥은 평소보다 꼬들꼬들 하게 짓는 것이 좋아요. 쌀과 물의 양을 1 : 0.8 비율로 평소보다 물을 조금 적게 넣어야 초밥이 질어지지 않아요.

꼬치주먹밥

꼬치주먹밥은 평소에 간단하게 먹는 밥으로도 좋고, 아이 소풍도시락으로 준비해도 좋아요. 한입 크기로 작게 만들어 꼬치에 꽂았기 때문에 젓가락 사용이 서툰 아이들도 쉽게 먹을 수 있고 야외에서 도시락 먹을 때도 위생적이에요. 주먹밥과 함께 과일이나 채소를 곁들여주세요.

조리시간 20분
2인분

- □ 밥 200g(1공기)
- □ 오이 50g(1/4개)
- □ 당근 20g(1/10개)
- □ 우엉조림 20g
  - ★ 우엉조림 만들기 37쪽 참고
- □ 소금 약간
- □ 통깨 약간
- □ 참기름 약간
- □ 조미 김가루 2/3컵(조미김 3장분)
- □ 포도씨유 2작은술

1

오이는 칼등으로 가시를 긁어낸 후 돌려 깎아 씨 부분을 제거하고 곱게 다진다.

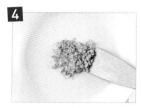

2

당근과 우엉조림은 곱게 다진다.

3

달군 팬에 포도씨유(1작은술)를 두른 후 당근을 넣고 소금을 약간 뿌려 중약 불에서 1분 30초간 볶아 덜어둔다.

4

④의 팬을 키친타월로 닦고 중약 불로 달군다. 포도씨유(1작은술)를 두른 후 오이를 넣고 소금을 약간 뿌려 1분 30초간 볶는다.

5

큰 볼에 밥, 오이, 당근, 우엉조림, 참기름, 통깨를 넣고 잘 섞은 후 지름 3cm 크기로 둥글게 빚는다. 김가루에 밥을 굴린 후 꼬치에 3~4개씩 꽂는다.
★ 꼬치 끝은 안전해지도록 가위로 잘라낸다.

• **오이 껍질까지 사용한다면 무농약이나 유기농 오이를 쓰세요.**
일반 오이로 만들 때는 아이가 먹을 음식이니 껍질을 얇게 벗기고 쓰세요.

Tip

스크램블에그 샌드위치

❝ 아주 간단하면서도 맛있는 샌드위치예요. 냉장고에 달걀만 있으면
먹음직스럽게 뚝딱 만들 수 있지요. 파티음식이나 소풍도시락으로도 좋아요.
길거리 토스트처럼 만들고 싶다면 당근이나 감자 등의 자투리 채소를
볶은 후 설탕을 조금 넣은 달걀물을 넣고 팬에 구워 빵에 넣어주세요.❞

조리시간 30분
6개분

- ☐ 모닝빵 6개
- ☐ 달걀 4개
- ☐ 양송이버섯 40g(2개)
- ☐ 양파 40g(1/5개)
- ☐ 소금 약간
- ☐ 토마토케첩 약간(기호에 따라 가감)
- ☐ 버터 10g(1큰술)
- ☐ 포도씨유 1작은술

양송이버섯은 밑동을 자르고 양파와 함께 잘게 다진다.

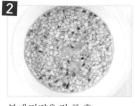

볼에 달걀을 잘 푼 후 양송이버섯과 소금을 약간 넣고 잘 섞는다.

달군 팬에 버터를 녹인 후 양파와 소금을 약간 넣고 중약불에서 1분간 볶은 후 ②를 넣고 2분간 저어가며 익힌다.

달군 팬에 포도씨유를 두르고 반으로 썬 모닝빵을 올려 약한 불에서 단면을 1분간 굽는다.

구운 모닝빵 위에 스크램블 에그를 올리고 기호에 따라 토마토케첩을 뿌린 후 다른 모닝빵 한 쪽으로 덮는다.

감자샐러드 샌드위치

한 개만 먹어도 속이 든든한 감자샐러드 샌드위치. 감자샐러드는 넉넉하게 만들어 샐러드로 먹어도 좋고 샌드위치 속 재료로도 활용 가능해요. 크래커나 빵 위에 샐러드를 올린 후 과일로 장식하면 멋진 파티음식으로도 변신한답니다.

조리시간 35분
3개분

- ☐ 식빵(샌드위치용) 6쪽
- ☐ 감자(큰 것) 400g(2개)
- ☐ 달걀 1개
- ☐ 당근 20g(1/10개)
- ☐ 오이 100g(1/2개)
- ☐ 소금 약간
- ☐ 마요네즈 3큰술
- ☐ 아가베시럽(또는 설탕) 1작은술
- ☐ 머스터드 1/2작은술
- ☐ 포도씨유 약간

1 감자는 깨끗이 씻어 김이 오른 찜기에 넣고 뚜껑을 덮어 중간 불에서 25분간 찐다. 찐 감자는 한김 식혀 껍질을 벗긴다.

2 냄비에 달걀과 소금을 약간 넣고 달걀이 잠길 만큼 물을 부어 센 불에서 끓인다. 끓어오르면 중약 불로 줄여 12분간 삶은 후 찬물에 담가 한김 식혀 껍질을 벗긴다.

3 당근은 잘게 다지고, 오이는 칼등으로 가시를 긁어낸 후 돌려 깎아 씨 부분을 제거하고 잘게 다진다. 다진 오이에 소금을 약간 뿌려 10분간 절인 후 면보에 넣고 물기를 꼭 짠다.

4 큰 볼에 찐 감자, 삶은 달걀을 넣어 으깬 후 당근, 오이, 마요네즈, 아가베시럽, 머스터드를 넣고 잘 버무린다.

5 달군 팬에 포도씨유를 두르고 식빵을 올려 약한 불에서 앞뒤 각각 2분씩 굽는다.

6 구운 식빵에 감자샐러드를 올리고 다른 식빵 한 쪽으로 덮어 먹기 좋게 2~4등분한다.

- **한입 크기로 자른 식빵 위에 과일이나 샐러드를 올려 카나페로 즐기세요.**
  식빵을 토스터기나 팬에 구운 후 테두리는 썰어내고 4~6등분 해주세요. 그 위에 기호에 따라 감자샐러드, 고구마샐러드, 참치샐러드 등을 얹고 방울토마토, 딸기, 파인애플, 키위, 사과 등 다양한 과일을 올려 카나페를 만들면 예쁘고 멋진 파티 요리가 완성된답니다.
- **오이 껍질까지 사용한다면 무농약이나 유기농 오이를 쓰세요.**
  일반 오이로 만들 때는 아이가 먹을 음식이니 껍질을 얇게 벗기고 쓰세요.

Tip

참치스프레드 샌드위치

❝ 알록달록한 여러 가지 채소들과 참치를 넣어 맛있는 참치스프레드를
만들었어요. 모닝빵이나 식빵 속에 넣어 샌드위치로 즐기거나
밥 반찬으로 활용하기에도 좋답니다. 저녁에 스프레드를 미리 만들어두었다가
아침에 빵만 살짝 구워 만들면 멋진 샌드위치 도시락을 쌀 수 있어요. ❞

조리시간 20분
6개분

☐ 모닝빵 6개
☐ 참치캔 200g(2캔)
☐ 양파 20g(1/10개)
☐ 빨강 파프리카 300g(1/5개)
☐ 오이피클(작은 것) 30g(3개)
☐ 양상추 30g(3장)
☐ 아가베시럽(또는 설탕) 2/3큰술
☐ 마요네즈 4큰술
☐ 머스터드 2/3작은술
☐ 소금 약간
☐ 포도씨유 약간

**아빠·엄마용
이렇게
만드세요!**

참치스프레드를 아이가 먹을
만큼 덜어낸 후 나머지 분량에
할라피뇨를 잘게 다져 넣으면
매콤해서 입맛을 돋워줍니다.

1 참치는 체에 밭쳐 숟가락으로
누르면서 기름기를 제거한다.

2 양파와 빨강 파프리카는 잘게
다진다. 각각 볼에 담고 소금을
약간 뿌려 5분간 절인 후
면보에 넣고 물기를 꼭 짠다.

3 오이피클은 잘게 다지고
양상추는 깨끗이 씻은 후
체에 밭쳐 물기를 뺀다.

4 볼에 참치, 양파, 빨강 파프리카,
오이피클, 아가베시럽, 마요네즈,
머스터드를 넣고 골고루 섞는다.

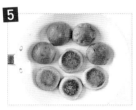

5 달군 팬에 포도씨유를 두르고
반으로 썬 모닝빵을 올려 약한
불에서 단면을 1분간 굽는다.

6 구운 모닝빵 위에 양상추,
④의 참치스프레드, 양상추를
순서대로 올린 후 다른 모닝빵
한 쪽으로 덮는다.

• **스프레드에 들어가는 채소의 물기는 꼭 짜내세요.**
스프레드를 만들어둔다면 채소의 물기를 면보나 키친타월을 이용해 꼭 짜내세요.
그러면 스프레드에 물기가 생기지 않습니다. 담백한 맛을 원한다면 참치를 체에 밭친 후
숟가락으로 눌러 기름기를 제거하고 뜨거운 물을 부으세요.

Tip

단호박샐러드 샌드위치·고구마샐러드 샌드위치

❝ 단호박과 고구마는 샐러드로 만들어 차갑게 먹어도 맛있어요. 미리 만들어 냉장고에 넣어두었다가 빵 사이에 넣으면 손쉽게 샌드위치를 만들 수 있어요. 속에 들어가는 견과류와 말린 과일은 집에 있는 재료를 이용해 다양하게 응용하세요. 나들이용 간식이나 파티음식으로 좋은 샌드위치예요.❞

고구마샐러드 샌드위치

단호박샐러드 샌드위치

단호박샐러드 샌드위치

조리시간 20분
6개분

□ 모닝빵 6개
□ 단호박 400g(1/2개)
□ 건포도 10g(약 1큰술)
□ 다진 땅콩 20g(약 2큰술)
□ 포도씨유 약간

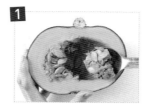

1 단호박은 깨끗이 씻어 속을 파낸 후 내열 용기에 담고 랩을 씌워 전자레인지(700W)에서 10분간 익힌다.

2 모닝빵은 반으로 썰고 건포도는 잘게 다진다.

3 볼에 ①의 단호박을 넣고 으깬다.

4 ③에 건포도와 다진 땅콩을 넣고 골고루 섞는다.

5 달군 팬에 포도씨유를 두르고 모닝빵을 올려 약한 불에서 단면을 1분간 굽는다.

6 구운 모닝빵에 단호박샐러드를 올리고 다른 모닝빵 한 쪽으로 덮는다.

• **전자레인지를 사용하기가 꺼려진다면 찜통에 넣고 찌세요.**
속 부분이 아래를 향하게 한 후 17분 정도 익히면 단호박이 질퍽해지지 않아요. •
단호박의 껍질을 깨끗하게 씻어서 찌면 껍질까지 같이 먹을 수 있는데, 껍질을 모두 넣고 으깨면 아이에게는 씹는 질감이 부담될 수 있으니 반 정도만 넣는 것이 좋습니다.

Tip

고구마샐러드 샌드위치

조리시간 35분
6개분

- ☐ 모닝빵 6개
- ☐ 고구마(중간 크기) 400g(2개)
- ☐ 건크랜베리 15g(1과 1/2큰술)
- ☐ 실온에 둔 부드러운 버터
  10g(1큰술)
- ☐ 우유 2큰술
- ☐ 아가베시럽(또는 설탕) 1큰술
- ☐ 계피가루 약간(생략 가능)
- ☐ 아몬드슬라이스 15g(2와 1/2큰술)
- ☐ 포도씨유 약간

1 고구마는 깨끗이 씻어 반으로 가른 후 김이 오른 찜기에 넣고 뚜껑을 덮어 중간 불에서 25분간 찐다.

2 모닝빵은 반으로 썰고 건크랜베리는 잘게 다진다.

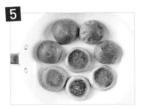

3 찐 고구마는 한김 식혀 껍질을 벗긴 후 볼에 버터와 함께 넣고 으깬다.

4 ③에 크랜베리, 우유, 아가베시럽, 계핏가루를 넣고 골고루 섞은 후 아몬드 슬라이스를 넣어 한 번 더 섞는다.

5 달군 팬에 포도씨유를 두르고 모닝빵을 올려 약한 불에서 단면을 1분간 굽는다.

6 구운 모닝빵 위에 고구마샐러드를 올린 후 다른 모닝빵 한 쪽으로 덮는다.

> • **계핏가루는 생략해도 됩니다.**
> 계핏가루 향을 싫어하는 분이라면 생략해도 됩니다. 하지만 아이에게는 다양한 맛과 향을 경험하게 하는 것이 좋아요.
>
> Tip

햄버거스테이크·미니버거

❝ 햄버거스테이크는 한번에 잔뜩 만들어 냉동실에 넣어두면 한동안
반찬 걱정이 없지요. 밥 반찬으로 먹어도 좋고, 모닝빵에 넣어 엄마표 미니버거로
만들어도 좋아요. 햄버거스테이크를 만들 때 채소를 듬뿍 넣으면 채소를
싫어하는 아이들도 잘 먹는답니다. 남편도 아이만큼이나 좋아할 거예요. ❞

미니버거

햄버거스테이크

햄버거스테이크

조리시간 40분
약 20개분
★ 냉동 보관법 317쪽 참고

- ☐ 다진 쇠고기 300g
- ☐ 다진 돼지고기 300g
- ☐ 양파 200g(1개)
- ☐ 빨강 파프리카 50g(1/2개)
- ☐ 당근 30g(1/5개)
- ☐ 양송이버섯 20g(1개)
- ☐ 빵가루 50g(1컵)
- ☐ 다진 마늘 1큰술
- ☐ 청주 1/2큰술
- ☐ 소금 약간(양파, 파프리카 절임용)
- ☐ 포도씨유 적당량

고기 밑간
- ☐ 소금 1작은술
- ☐ 후춧가루 약간

1
볼에 쇠고기와 돼지고기를
넣고 밑간을 한다.

2
양파와 빨강 파프리카는 잘게
다진 후 각각 볼에 담고 소금을
약간 뿌려 10분간 절인다.
면보에 넣고 물기를 꼭 짠다.

3
당근은 잘게 다진다.
양송이버섯은 밑동을 자르고
잘게 다진다.

4
③에 양파, 빨강 파프리카,
당근, 양송이버섯, 빵가루,
다진 마늘, 청주를 넣고
오래 치대어 찰기가 생기게
반죽한 후 냉장고에서 10분간
숙성시킨다.

5
④의 반죽을 20등분해
둥글 납작하게 빚은 후
반죽의 가운데를 손가락으로
눌러준다. ★ 반죽은 원하는
크기로 빚어도 된다.

6
달군 팬에 포도씨유를 두르고
⑤의 고기패티를 올린 후
뚜껑을 덮어 약한 불에서 5분,
뒤집어 4분간 굽는다.
★ 고기 두께나 크기에 따라
시간을 조절한다.

- **햄버거스테이크 반죽으로 미트볼도 만들 수 있어요.**
  햄버거스테이크는 넉넉하게 만들어 냉동 보관하세요. 냉동실에 넣어두면 한동안 반찬 걱정을
  덜 수 있어요. 반죽 1/2분량은 햄버거스테이크를 만들고, 나머지는 작고 둥글게 빚어 미트볼을
  만들어도 좋아요. 반죽에 옥수수나 완두콩을 넣어 만들면 더욱 맛있답니다. 반죽을 하다 보면
  공기가 빠져나가는 느낌이 드는데요. 공기를 충분히 뺀 후 많이 치대어 모양을 만들어주세요.

Tip

미니버거

조리시간 30분
6개분

- ☐ 모닝빵 6개
- ☐ 햄버거스테이크 6개
  - ★ 햄버거스테이크 만들기
    276쪽 참고
- ☐ 양상추 약 40g(2장)
- ☐ 오이피클(작은 것) 15g(1과 1/2개)
- ☐ 방울토마토 3개
- ☐ 마요네즈 약간
- ☐ 머스터드 약간
- ☐ 토마토케첩 약간
- ☐ 포도씨유 2작은술

양상추는 깨끗이 씻은 후
체에 밭쳐 물기를 빼고
3등분한다. 오이피클은 길게
6등분하고 방울토마토는
모양대로 4등분한다.

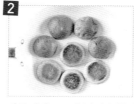

달군 팬에 포도씨유(1작은술)를
두르고 반으로 썬 모닝빵을
올려 약한 불에서 단면을 1분간
굽는다.

달군 팬에 포도씨유를 두르고
햄버거스테이크를 올린 후
뚜껑을 덮어 약한 불에서 5분,
뒤집어 4분간 굽는다.
★ 고기 두께나 크기에 따라
굽는 시간을 조절한다.

구운 모닝빵의 자른 단면에
마요네즈와 머스터드를 각각
펴 바른다.

④의 모닝빵 위에 양상추,
오이피클, 방울토마토,
햄버거스테이크를 올리고
기호에 따라 마요네즈와
토마토케첩을 뿌린 후
다른 모닝빵 한 쪽으로 덮는다.

식빵치즈말이·과일컵

❝ 식빵치즈말이는 만드는 법은 간단하지만 맛있고 모양도 예뻐서 파티음식으로
제격이랍니다. 좀 더 멋을 내고 싶다면 동글동글하게 잘라서 꼬치에 꽂아
롤리팝처럼 꾸며도 멋져요. 과일컵의 컵으로 쓰는 과일은 수박이나 메론, 참외 등을
이용해보세요. 과일 속에 들어가는 과일도 제철과일을 다양하게 활용하세요.❞

식빵치즈말이

과일컵

과일컵

조리시간 15분
4개분

- □ 오렌지 2개
- □ 딸기 4개
- □ 키위 2개
- □ 바나나 1/2개
- □ 베이킹소다 1큰술(오렌지 세척용)

1 오렌지는 베이킹소다(또는 소금)로 껍질을 문질러 깨끗이 씻은 후 2등분한다.

2 오렌지 과육을 4등분해 껍질과 과육을 분리한다. 오렌지 과육은 사방 1cm 크기로 썬다.
★ 껍질 속 과육은 열십(+)자로 칼집을 낸 후 들어내면 꺼내기 편하다.

- **오렌지 과육을 분리할때는 껍질과 과육을 칼로 돌려가면서 잘라내세요.**
  꼭지 부분은 과육을 분리하는 과정에서 잘못하면 구멍이 뚫릴 수 있으니 심을 잘라내듯 분리하세요.
  Tip

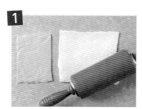

3 딸기는 깨끗이 씻어 꼭지를 뗀 후 사방 1cm 크기로 썬다. 키위와 바나나는 껍질을 벗기고 사방 1cm 크기로 썬다.

4 볼에 오렌지와 바나나를 넣고 잘 섞은 후 오렌지 껍질에 딸기, 키위, 오렌지, 바나나를 예쁘게 담는다.
★ 오렌지즙으로 인해 바나나 색이 변하지 않는다.

식빵치즈말이

조리시간 15분
4개분

- □ 식빵(샌드위치용) 4장
- □ 체다 슬라이스치즈 4장
- □ 딸기잼 2큰술(기호에 따라 가감)

1 식빵 테두리를 썰어낸 후 밀대를 이용해 0.3~0.4cm 폭으로 얇게 민다. 슬라이스치즈는 식빵 크기보다 좀 더 작게 썬다.

2 식빵에 딸기잼을 펴 바른 후 식빵 한쪽 면에 맞춰 슬라이스치즈를 올려 돌돌 만다.

- **슬라이스치즈는 식빵 크기보다 작게 써세요.**
  슬라이스치즈를 식빵보다 작게 잘라야 나중에 말았을 때 크기가 맞아요. 또한 치즈가 빠져 나오지 않게 모양을 잡아가며 말고, 치즈를 실온에 두어 말랑해졌을 때 사용해야 잘 말립니다. 딸기잼 외에 집에 있는 잼으로 다양하게 만들어도 좋아요.
  Tip

만드는 방법도 너무 간단하고 맛있어
피자를 사먹을 일이 없게 만드는 메뉴랍니다.
토마토소스를 직접 만들어 소스로 사용하면
가장 좋지만, 시간이 없을 때는
시판용 유기농 토마토소스를 사용해도 됩니다.
아이들이 원하는 토핑을 직접 올려
엄마와 함께 만들면 더욱 좋아요.

조리시간 30분
2인분

★ 오븐 180℃(미니오븐 170℃)

☐ 또띠야 2장
☐ 닭안심 70g(2쪽)
☐ 미니 파프리카 60g(3개)
☐ 양파 20g(1/10개)
☐ 방울토마토 2개
☐ 양송이버섯 20g(1개)
☐ 토마토소스 6큰술
　　★ 토마토소스 만들기 309쪽 참고
☐ 피자치즈 150g(1과 1/2컵)

1 양파는 가늘게 채 썰고 미니 파프리카는 얇게 송송 썬다.

2 양송이버섯은 밑동을 자르고 방울토마토와 함께 0.5cm 폭으로 모양대로 썬다. 닭안심은 힘줄과 지방을 제거한다.

3 끓는 물(3컵)에 닭안심을 넣고 센 불에서 5분간 삶아 건져낸 후 한김 식혀 결대로 잘게 찢는다. 오븐은 180℃(미니오븐 170℃)로 예열한다.

4 달군 팬에 기름을 두르지 않은 채 또띠야를 올려 약한 불에서 앞뒤로 2~3분간 노릇하게 굽는다. 꺼내서 윗면에 토마토소스(1큰술)를 골고루 펴 바른다.

· **피자를 구울 때 오븐의 그릴에 올려 구우면 밑면이 눅눅해지지 않아요.**
오븐이 없다면 전자레인지(700W)에 넣어 치즈를 녹여도 됩니다. 토핑은 집에 있는 재료를 자유롭게 사용하세요. 옥수수나 완두콩, 쇠고기, 떡갈비, 삶은 감자나 고구마, 새우, 파인애플 등 뭐든지 올려 만들 수 있어요. 토마토소스 대신 미트소스를 사용해도 됩니다.

5 ④의 또띠야 위에 피자치즈를 한 줌 정도 뿌리고 다른 또띠야를 올려 덮는다. 나머지 토마토소스(5큰술)를 펴 바르고 닭고기, 미니 파프리카, 양파, 방울토마토, 양송이버섯을 골고루 올린다.

6 오븐팬 위에 그릴망을 올리고 ⑤을 올린다. 나머지 피자치즈를 골고루 뿌린 후 오븐의 가운데 칸에서 8분간 굽는다. ★ 사용하는 오븐에 따라 차이가 있으므로 들여다 보면서 굽는 시간을 조절한다.

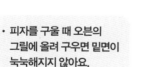

Tip

닭봉구이·떡꼬치

닭봉구이는 특별한 간을 하지 않았는데도 너무나 맛있는 요리예요.
만드는 방법도 간단해 금방 구워 나들이용 간식으로 챙겨도 좋고
파티음식으로도 손색이 없어요. 떡꼬치는 학교 앞 인기 간식인데요.
집에서도 쉽게 만들 수 있답니다. 꼬치에 꽂는 게 번거롭다면
꼬치에 꽂지 말고 그냥 만들어보세요. 밥 반찬으로도 잘 먹는답니다.

떡꼬치

닭봉구이

닭봉구이

조리시간 25분
(+ 닭봉 밑간하기 30분)
약 10개분
★ 오븐 220℃(미니오븐 210℃)

□ 닭봉 350g(약 10개분)
□ 우유 180~200ml(약 1컵)
□ 소금 1/2작은술
□ 후춧가루 약간

오븐은 220℃(미니오븐 210℃)로 예열한다. 닭봉은 우유, 소금, 후춧가루로 밑간을 해 30분간 재운다.

오븐팬에 종이 포일을 깔고 닭봉을 올려 오븐의 가운데 칸에서 20분간 굽는다.
★ 사용하는 오븐에 따라 차이가 있으므로 들여다 보며 시간을 조절한다. 기호에 따라 허니머스터드소스나 스위트 칠리소스를 곁들인다. 허니 머스터드소스 만들기 309쪽 참고.

떡꼬치

조리시간 20분
2인분

□ 쌀떡볶이 떡 약 250g(12개)
□ 포도씨유 1큰술

소스
□ 아가베시럽(또는 꿀) 1큰술
□ 토마토케첩 1큰술
□ 다진 마늘 1/3작은술
□ 양조간장 1/2작은술
□ 고추장 1/4작은술
　　(아이에 따라 가감)

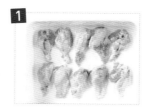

쌀떡볶이 떡은 3등분해 꼬치에 3개씩 꽂는다.

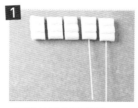

소스 재료를 골고루 섞는다.

달군 팬에 포도씨유를 두르고 떡꼬치를 올려 중약 불에서 앞뒤 각각 3~4분씩 굽는다. 불을 끄고 솔(또는 숟가락)을 이용해 꼬치 앞뒤에 소스를 골고루 펴 바른다.

③의 팬을 약한 불로 달군 후 꼬치가 타지 않게 뒤집어가며 다진 마늘이 익을 때까지 3~4분간 굽는다. ★ 팬의 크기나 두께에 따라 시간을 조절한다. 아이가 좋아하는 견과류를 다져서 뿌려주면 더 맛있다.

간장떡볶이

" 아이들이 좋아해 파티음식으로 빠지지 않는 메뉴가 바로
간장떡볶이에요. 아이와 어른 모두 맛있게 먹을 수 있지요. 채소를
듬뿍 넣으면 고기와 떡, 채소까지 골고루 먹일 수 있답니다. "

조리시간 25분
2~3인분

- [ ] 떡볶이 떡 200g(10개)
- [ ] 쇠고기(불고기용) 70g
- [ ] 양파 40g(약 1/5개)
- [ ] 빨강 파프리카 30g(1/4개)
- [ ] 노랑 파프리카 30g(1/4개)
- [ ] 양배추(손바닥 크기) 30g(1장)
- [ ] 다시마물 150ml(다시마 5×5cm
      + 미지근한 물 3/4컵)
- [ ] 양조간장 1작은술
- [ ] 아가베시럽(또는 설탕) 1작은술
- [ ] 다진 파 1큰술
- [ ] 참기름 2와 1/2작은술

쇠고기 양념
- [ ] 양조간장 1작은술
- [ ] 청주 1/3작은술
- [ ] 아가베시럽(또는 설탕) 1/2작은술
- [ ] 다진 마늘 약간

떡볶이 떡 양념
- [ ] 양조간장 1/2작은술
- [ ] 참기름 1/2작은술

쇠고기는 양념해 10분간
재운다. 미지근한 물에
다시마를 10분 이상 담가두어
다시마물을 만든다.

떡볶이 떡은 3등분한다.
★ 떡볶이 떡이 딱딱하다면
끓는 물에 1분간 데친다.

볼에 떡볶이 떡과 떡 양념 재료를
넣고 서로 달라붙지 않도록
잘 버무린다.

양파는 채 썰어 2등분한다.
빨강·노랑 파프리카도 양파와
비슷한 길이로 채 썬다.

양배추는 사방 2cm 크기로
썬다.

달군 팬에 참기름(2작은술)을
두르고 쇠고기를 넣어 고기가
반 정도 익을 때까지 중간
불에서 2분간 볶는다.

⑥의 팬에 양파, 빨강·노랑
파프리카, 양배추를 넣고 2분간
볶는다. 다시마물(3/4컵)을
붓고 떡볶이 떡, 양조간장,
아가베시럽을 넣어 2분간
끓인다.

⑧의 팬에 다진 파를 넣고
1분간 더 끓인 후 불을 끈다.
참기름(1/2작은술)을 두르고
한 번 더 버무린다.

감자크로켓

66 감자로 바삭하고 부드러운 크로켓을 만들어보세요. 여러 가지 채소와
피자치즈를 함께 넣어 아이들의 영양도 살리고 맛도 좋은 크로켓이지요.
감자크로켓에 고기를 볶아 넣고 만들어도 맛있답니다. 아이와 함께 동글동글
빚어 만들면 좋은 추억으로 남겠지요. 99

조리시간 40분
약 20개분
★냉동 보관법 317쪽 참고

☐ 감자(중간 크기) 400g(2개)
☐ 빨강 파프리카 20g(1/8개)
☐ 노랑 파프리카 20g(1/8개)
☐ 양송이버섯 10g(1/2개)
☐ 브로콜리(꽃 부분) 20g
  (밤 크기 2개)
☐ 소금 약간(파프리카 절임용)
☐ 소금 1/4작은술(반죽용)
☐ 후춧가루 약간
☐ 피자치즈 50g(1/2컵)
☐ 포도씨유 적당량
☐ 토마토케첩 약간

튀김옷
☐ 밀가루 1큰술
☐ 달걀 1개
☐ 빵가루 2/3컵
☐ 물 1/2작은술(빵가루용)

감자는 깨끗이 씻어 김이 오른
찜기에 넣고 뚜껑을 덮어
중간 불에서 25분간 찐다.
찐 감자는 한김 식혀 껍질을
벗긴다.

빨강·노랑 파프리카는
잘게 다진 후 각각 볼에 담고
소금을 약간 뿌려 5분간
절인다. 면보에 넣고 물기를
꼭 짠다.

양송이버섯은 밑동을 자르고
브로콜리와 함께 잘게 다진다.

볼에 찐 감자를 넣고
숟가락으로 으깬 후 3분간
치대면서 끈기를 만든다.

④에 빨강·노랑 파프리카,
양송이버섯, 브로콜리,
소금(1/4작은술), 후춧가루를
넣고 잘 섞는다.

⑤의 반죽을 20등분해
가운데에 피자치즈를
1작은술씩 넣고 둥글게
빚는다.

····▶ next page

볼에 달걀을 넣고 잘 풀어
달걀물을 만든다. 접시에
빵가루와 물을 넣고 손으로
비벼가며 잘 섞는다.
★ 빵가루에 수분이 없기
때문에 물을 넣어 튀김옷을
입히면 구울 때 타지 않는다.

⑥의 반죽에 밀가루, 달걀물,
빵가루 순으로 튀김옷을
골고루 묻힌다.

달군 팬에 포도씨유를
넉넉하게 두르고 감자크로켓을
올려 중약 불에서 5분간
굴려가며 튀기듯이 굽는다.
기호에 따라 토마토케첩을
곁들인다. ★ 팬의 종류나
크기에 따라 시간을 조절한다.

• 감자 대신 밥을 넣어 밥크로켓을 만드세요.
잘게 썬 자투리 재료들과 밥을 섞은 후 동그랗게 뭉쳐 밥크로켓을 만들어도 맛있어요.
만든 후 쉽게 부서지지 않도록 자투리 채소의 물기는 최대한 제거하고, 서로 잘 뭉쳐 빚으세요.
이 메뉴는 간식은 물론 한끼 식사로도 좋답니다.

" 아이가 10살이 될 때까지 매년 수수팥떡을 만들어 주변 사람들과
나누어 먹으면 액운이 물러가 건강하고 튼튼하게 자란다고 하지요.
그래서 저도 아이 생일 때마다 수수팥떡을 준비합니다. 만드는 방법도 생각보다
아주 간단해요. 경단을 만들어 팥고물에 무치기만 하면 되는데요, 집에서 만들면
정말 맛있답니다. "

수수가루 만들기

□ 수수 1kg
□ 물 1,2L(6컵)

1 수수는 깨끗이 씻어 찬물에 5시간 정도 불린 후 체에 받쳐 1시간 정도 물기를 뺀다.

2 방앗간이나 떡집에서 가루로 빻는다.
★ 소금 간을 해달라고 요청한다. 집에서 사용하는 소금을 가져가도 된다.

• **수수가루는 넉넉히 만들어 냉동 보관해두고 쓰세요.**
수수가루는 부꾸미나 경단 등 떡을 만들 때 찹쌀가루와 섞어 사용하면 돼요. 수수는 특유의 씁쓸한 맛이 있는데요. 물에 담가 붉은 물을 계속 우려내면 그 맛이 옅어집니다. 하지만 수수의 붉은색이 항노화 효과를 가지고 있으니 너무 우려내지는 마세요. 수수가루는 찹쌀가루처럼 필요한 만큼 나눠서 냉동 보관하고 만들기 1~2시간 전에 미리 꺼내 실온에서 자연 해동하면 됩니다.

수수팥떡

조리시간 50분
약 26개분

□ 수수가루 110g(1컵)
★ 수수가루 만들기 290쪽 참고
□ 찹쌀가루 110g(1컵)
★ 찹쌀가루 만들기 209쪽 참고
□ 설탕물 6큰술
(물 100ml + 설탕 100ml)

팥고물
□ 팥 160g(1컵)
□ 설탕 2큰술
□ 소금 1/2작은술

팥고물 만들기

1 압력밥솥에 깨끗이 씻은 팥을 넣고 물(1과 1/2컵)을 부은 후 뚜껑을 열어 센 불에서 끓인다. 끓어오르면 체에 받쳐 팥과 물을 분리한다.
★ 팥을 끓인 물은 버린다.

2 ①의 압력밥솥을 씻은 후 다시 팥을 넣고 물(4컵)을 부어 뚜껑을 닫은 채 센 불에서 끓인다. 끓어올라 추가 흔들리면 가장 약한 불로 줄여 30분간 더 끓인 후 불을 끈다.

3 ②의 압력이 빠지면 팥을 건져낸 후 바닥이 두터운 팬에 설탕, 소금과 함께 넣는다. 주걱으로 으깨면서 중간 불에서 3분, 약한 불로 줄여 6분간 볶는다.
★ 너무 오래 볶으면 팥고물이 퍼석해지니 촉촉한 정도로 볶는다.

수수팥떡 만들기

수수가루와 찹쌀가루를 함께
체에 내려 골고루 섞는다.

작은 냄비에 설탕물 재료를
넣고 중간 불에서 끓어오르면
불을 끈 후 잘 저어 설탕을
완전히 녹인다.

④의 가루에 뜨거운 설탕물을
1작은술씩 넣어가며 골고루
반죽한 후 젖은 면보나
키친타월을 덮는다.
★ 반죽이 갈라지지 않도록
충분히 치댄다.

⑥의 반죽을 지름 2.5~3cm
크기로 동글게 빚은 후
끓는 물(5컵)에 넣고 경단이
떠오르면 1분 후 건진다.

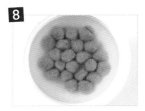

건진 경단은 차가운 물에
1분간 담가 식힌 후 체에 밭쳐
물기를 뺀다.

넓은 접시에 ③의 팥고물을
담고 경단을 올려 골고루
묻힌다.

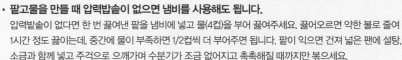

- **팥은 처음에 한 번 끓여내는 것이 좋아요.**
  팥을 한 번 끓여내야 팥 특유의 쓴맛도 없어지고 배앓이를 방지하는 역할도 합니다. 처음 끓인
  팥물은 버리고, 두 번째로 삶은 팥물은 그냥 마시거나 밥 지을 때 넣어 팥물밥을 만들어보세요.
- **팥고물을 만들 때 압력밥솥이 없으면 냄비를 사용해도 됩니다.**
  압력밥솥이 없다면 한 번 끓여낸 팥을 냄비에 넣고 물(4컵)을 부어 끓여주세요. 끓어오르면 약한 불로 줄여
  1시간 정도 끓이는데, 중간에 물이 부족하면 1/2컵씩 더 부어주면 됩니다. 팥이 익으면 건져 넓은 팬에 설탕,
  소금과 함께 넣고 주걱으로 으깨가며 수분기가 조금 없어지고 촉촉해질 때까지만 볶으세요.
- **익반죽할 때 물의 양은 1작은술씩 늘려가며 조절하세요.**
  가루의 수분 함량에 따라 차이가 있으니 물을 한꺼번에 넣지 말고 조금씩 넣어가며 반죽하세요.

생일케이크

66 제가 어릴 때는 가정용 오븐이 보급화되지 않았어요. 그래서 엄마가 찜통을
사용해 케이크시트를 만드셨어요. 엄마랑 같이 케이크에 버터크림을 발라
초콜릿이나 과자로 장식도 했었는데요, 파는 것만큼 예쁘지 않고 맛도 투박했지만
생일케이크를 직접 만들어보는 것은 잊지 못할 추억이 되지요.99

조리시간 1시간
케이크 3호(높은 틀)

★ 오븐 180℃(미니오븐 170℃)

□ 박력분 140g(약 1과 1/3컵)
□ 달걀 4개
□ 버터 30g(3큰술)
□ 설탕 40g(4큰술, 노른자용)
□ 설탕 80g(8큰술, 흰자용)
□ 소금 약간
□ 우유 40ml(약 1/5컵)
□ 바닐라오일 약간(생략 가능)
□ 장식 재료(딸기, 망고, 블루베리,
　쿠키, 허브 등)

생크림
□ 냉장고에 둔 차가운 생크림
　200ml(1컵)
□ 설탕 20g(2큰술, 생크림용)

케이크시트 만들기

케이크 틀의 바닥에 맞춰 종이 포일을 오린다. 테두리 폭에 맞춰 길게 종이 포일을 자른 후 바닥에 맞춰 오린 종이 포일을 깐다. ★ 테두리에 두르는 종이 포일의 높이는 틀보다 높아야 한다.

박력분은 체에 내린다. 달걀은 흰자와 노른자를 분리한다. 내열 용기에 버터를 넣고 전자레인지(700W)에서 20~30초간 데우거나 중탕으로 녹인다.

오븐은 180℃(미니오븐 170℃)로 예열한다. 볼에 달걀 노른자, 소금, 설탕(40g)을 넣고 거품기로 크림 상태가 될 때까지 섞는다. ★ 노른자 색이 아이보리로 변하여 2배 정도 부풀 때까지 섞는다.

볼에 달걀 흰자를 섞어 거품이 생기면 설탕(80g)을 4~5번에 나눠 넣고 거품기로 친다. 거품을 들어올렸을 때 뿔이 서는 상태가 될 때까지 계속 친다.

③의 노른자 거품에 ④의 흰자 거품을 1/2분량만 넣어 잘 섞은 후 박력분을 넣고 골고루 섞는다.

⑤에 버터, 우유, 바닐라오일을 넣고 거품이 죽지 않게 주걱으로 재빨리 섞은 후 나머지 흰자 거품을 넣고 가볍게 섞는다.

····▶ next page

케이크 틀에 ⑥의 반죽을
부은 후 20cm 정도 높이에서
한 번 바닥에 떨어뜨려 표면을
평평하게 하고 공기를 뺀다.

오븐의 아랫칸에 ⑦의 케이크
틀을 넣고 18분간 구운 후
재빨리 종이 포일을 덮고 12분간
더 굽는다. 시트를 빼낸 후
가장자리 종이 포일만 벗기고
식힘망에 올려 식힌다.

생크림 만들기

볼에 차가운 생크림을 붓고
거품기로 친다.

설탕을 조금씩 넣어가며
거품기로 친 후 뿔이 서는
상태가 되면 랩을 씌워
냉장고에서 15분간 보관한다.

생일케이크 만들기

⑧의 시트가 식으면 제빵용
칼로 케이크 위의 울퉁불퉁한
면을 잘라 정리한다.

스패튤라로 시트 윗면과
옆면에 ⑩의 생크림을 바른
후 윗면과 옆면에 과일이나
초콜릿, 쿠키 등으로 장식을
한다. ★ 시트를 반으로 잘라
생크림과 딸기잼을 샌드해도
맛있다.

Tip

- **거품을 낼 때 핸드믹서를
이용하면 쉽고 편리해요.**
거품을 낼 때 핸드믹서가
있으면 보다 쉽고 편리하게
만들 수 있어요. 달걀이나
생크림을 거품기로 섞을
때 사용하는 볼은 물기나
유분기가 없어야 거품이 잘
납니다. 또한 거품을 너무
오랫동안 내면 오히려 거품이
분리되므로 멈추는 시기를 잘
조절하세요.
- **케이크를 구운 후
이쑤시개로 찔러보세요.**
오븐에 따라 익는 시간이
달라질 수 있으니 오븐에서
케이크를 구운 후 꺼내
이쑤시개로 찔러보세요.
반죽이 묻어나오지 않으면
잘 구워진 것이랍니다.

땅콩쿠키·건과일쿠키

❝ 쿠키는 만드는 과정이 복잡하지 않고 실패의 위험도 적어 쉽게 만들 수 있는 베이킹 메뉴예요. 땅콩쿠키와 건과일쿠키는 반죽을 미리 만들어 냉동실에 넣어두었다가 먹고 싶을 때 꺼내 갓 구워 먹을 수 있는 엄마표 건강과자랍니다. **❞**

건과일쿠키

땅콩쿠키

땅콩쿠키

조리시간 35분
지름 5cm, 약 12개분

★ 오븐 170℃(미니오븐 160℃)

☐ 박력분 200g(2컵)
☐ 베이킹파우더 1.5g(1/2작은술)
☐ 실온에 둔 달걀 1개
☐ 땅콩버터 120g(약 12큰술)
☐ 실온에 둔 부드러운 버터
　　80g(8큰술)
☐ 설탕 120g(약 3/4컵)
☐ 다진 땅콩 약간(생략 가능)

박력분과 베이킹파우더는
함께 체에 내려 골고루
섞는다. 작은 볼에 달걀을 잘
풀어 달걀물을 만든다.

다른 큰 볼에 땅콩버터와
버터를 넣고 골고루 섞는다.
오븐은 170℃(미니오븐 160℃)
로 예열한다.

②에 설탕을 4~5회에 나눠
넣으면서 거품기로 잘 섞은
후 달걀물을 3~4회에 나눠
넣으면서 설탕이 녹을 때까지
골고루 섞는다.

③에 ①의 가루를 넣고
주걱으로 자르듯이 섞는다.

④의 반죽을 손으로 한 번 더
골고루 반죽한 후 12등분해
둥글 납작하게 빚는다.

오븐팬에 종이 포일을 깔고
⑤의 반죽을 올린 후 다진
땅콩을 뿌린다. 오븐의
가운데 칸에서 15분간 굽는다.
★ 반죽끼리 서로 달라붙지
않게 간격을 두고 올린다.
사용하는 오븐에 따라
차이가 있으므로 들여다 보며
시간을 조절한다. ★

• 남은 반죽은 냉동실에 보관하면 언제든 꺼내서 구워 먹을 수 있어요.
실온에서 해동해 반죽을 손으로 눌렀을 때 살짝 들어갈 정도가 되면 칼로 썰어 구우면 됩니다.

Tip

건과일쿠키

조리시간 35분
(+반죽 휴지시키기 30분)
지름 5cm, 약 12개분
★ 오븐 170℃(미니오븐 160℃)

□ 박력분 130g(약 1과 1/3컵)
□ 건과일(건크렌베리, 건블루베리,
  건라즈베리 등) 50g(5큰술)
□ 매실주(또는 청주, 럼주) 약간
□ 럼향오일 약간(생략 가능)
□ 실온에 둔 부드러운 버터
  85g(8과 1/2큰술)
□ 소금 약간
□ 설탕(믹서에 간 것) 40g(4큰술)
□ 달걀 노른자 1개분

1 박력분은 체에 내린다.

2 볼에 건과일, 매실주, 럼향오일을 넣고 건과일이 말랑해질 때까지 불린다. 체에 밭쳐 건과일만 건져낸다.

3 큰 볼에 버터와 소금을 넣고 설탕을 4~5회로 나눠 넣으면서 거품기로 잘 섞는다. 달걀 노른자를 넣고 설탕이 녹을 때까지 재빨리 골고루 섞는다.

4 ③에 박력분을 넣고 주걱으로 자르듯이 섞은 후 ②의 건과일을 넣고 잘 섞어 반죽한다.

5 ④의 반죽을 3등분해 지름 5cm 크기의 원통모양으로 만든 후 종이 포일(또는 위생팩)로 싸서 냉동실에서 30분간 휴지시킨다. 휴지가 끝날 무렵 오븐은 170℃(미니오븐 160℃)로 예열한다.

6 반죽을 꺼내 0.5cm 폭으로 썰어 종이 포일을 깐 오븐팬 위에 올린 후 오븐의 가운데 칸에서 15분간 굽는다.
★ 반죽끼리 서로 달라붙지 않게 간격을 두고 올린다. 사용하는 오븐에 따라 차이가 있으므로 들여다 보며 시간을 조절한다.

> **• 반죽을 휴지시킬 때 위생팩이나 랩을 사용해도 좋아요.**
> 반죽을 종이 포일로 싸서 휴지시키는 이유는 모양을 유지하기 위해서입니다. 이때 종이 포일이 없다면 위생팩이나 랩으로 대체해도 됩니다.
> Tip

모양쿠키

❝ 아이가 태어나면 직접 쿠키를 구워주는 엄마가 되고 싶다는 생각을
많이들 해보셨을 거예요. 아이들은 집에서 엄마랑 쿠키 만드는 것을
너무너무 좋아하지요. 모양쿠키라면 더욱 더 인기만점이고요. 이렇게 아이와
쿠키를 만드는 날이면 파티를 열지 않아도 파티데이가 될 거예요.**❞**

조리시간 40분

(+ 반죽 휴지시키기 1시간)

★ 오븐 170℃(미니오븐 160℃)

- □ 박력분 240g(약 2와 1/2컵)
- □ 베이킹파우더 1/2큰술
- □ 달걀 1개
- □ 실온에 둔 부드러운 버터
    130g(13큰술)
- □ 소금 약간
- □ 설탕 90g(9큰술)
- □ 바닐라오일 5방울(생략 가능)

1

박력분과 베이킹파우더는
함께 체에 내려 골고루 섞는다.
작은 볼에 달걀을 잘 풀어
달걀물을 만든다.

2

다른 큰 볼에 버터와 소금을
넣고 설탕을 4~5회에 나눠
넣으면서 거품기로 잘 섞는다.

3

②에 달걀물을 조금씩 나눠
넣으면서 설탕이 녹을 때까지
거품기로 골고루 섞은 후
바닐라오일을 넣고 잘 섞는다.

4

③에 ①의 가루를 넣고 주걱으로
자르듯이 잘 섞어 손으로 한 번
더 골고루 반죽한다. ★ 반죽을
너무 많이 치대면 쿠키가
딱딱해지니 잘 섞일 정도로만
반죽한다.

5

④의 반죽을 종이 포일(또는
위생팩)로 잘 싸서 냉장고에서
1시간 이상 휴지시킨다.
휴지가 끝날 무렵 오븐은 170℃
(미니오븐 160℃)로 예열한다.

6

밀대를 이용해 ⑤의 반죽을
0.5cm 두께로 밀어 모양틀로
찍는다. 종이 포일을 깐
오븐팬에 올린 후 오븐의
아랫칸에서 15분간 굽는다.
★ 반죽끼리 서로 달라붙지
않게 간격을 두고 올린다.
사용하는 오븐에 따라 차이가
있으므로 들여다 보며 시간을
조절한다.

- • **반죽을 미리 만들어
  냉동시켜도 좋아요.**
  반죽을 미리 만들어 냉동
  보관하세요. 쿠키를 구울
  때는 실온에서 해동한 후
  다음날 구우세요.
- • **반죽을 밀대로 밀 때
  덧밀가루나 종이 포일을
  사용하세요.**
  휴지시킨 반죽을 밀 때
  도마 위에 덧밀가루를
  뿌리거나 종이 포일 사이에
  반죽을 넣고 미는 것이
  좋아요. 반죽의 두께가
  얇으면 구웠을 때 식감이
  바삭하고, 두꺼우면
  부드럽게 구워집니다.

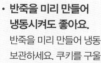

Tip

바나나 컵케이크

❝ 바나나 향이 물씬 나면서 달지 않고 촉촉한 바나나 컵케이크는 어린 아이들도 좋아하는 디저트예요. 예쁜 종이틀에 구우면 따로 장식을 하지 않아도 예쁘게 구워진답니다. 케이크 위에 깃발을 꽂거나 생크림으로 장식을 해도 멋져요. ❞

조리시간 40분
8개분

★ 오븐 170℃(미니오븐 160℃)

□ 박력분 100g(4/5컵)
□ 베이킹파우더 1/4작은술
□ 바나나 120g(약 1개)
□ 달걀 1개
□ 실온에 둔 부드러운 버터
  65g(6과 1/2큰술)
□ 소금 약간
□ 설탕 55 와 1/2큰술)
□ 우유 50ml(1/4컵)
□ 다진 호두 30g(1/4컵)

박력분과 베이킹파우더는
함께 체에 내려 골고루
섞는다. 작은 볼에 달걀을 잘
풀어 달걀물을 만든다.

바나나는 껍질을 벗겨
포크로 으깬다. 오븐은
170℃(미니오븐 160℃)로
예열한다.

다른 큰 볼에 버터와 소금을
넣고 설탕을 3~4회에 나눠
넣으면서 설탕이 녹을 때까지
거품기로 잘 섞는다.

③에 달걀물을 조금씩 넣으면서
거품기로 잘 섞은 후 우유의
1/2분량을 넣고 골고루 섞는다.

④에 ①의 가루를 넣고
주걱으로 자르듯이 골고루
섞는다. 나머지 우유, 바나나,
다진 호두를 넣고 잘 섞어
반죽한다.

머핀 틀에 유산지를 깔고 ⑤의
반죽을 2/3정도까지 채운다.
오븐의 가운데 칸에서 20분간
굽는다. ★ 숟가락으로 반죽을
떠서 넣으면 간편하다. 오븐에
따라 익는 시간이 다르므로
이쑤시개를 찔러 반죽이
익었는지 확인한다.

· 바나나 꼭지 부분을 1~2cm 정도 잘라 사용하세요.
  바나나는 검은 반점을 띨 때 가장 맛있어요. 잔류농약 없이 먹으려면 바나나를 벗긴 뒤
  양끝을 1~2cm 정도 잘라 사용하세요. 유기농 바나나라면 그냥 사용해도 좋습니다.

크랜베리 컵케이크

“ 촉촉하고 폭신한 크랜베리 컵케이크. 예쁘게 구운 후 하나하나 정성스럽게 포장해 아이 친구들에게 선물하면 아이 기 살리는 컵케이크가 된답니다. 크랜베리를 구입할 때는 성분 표시를 확인하고, 아이가 좋아하는 말린 과일로 응용해 만들어보세요. ”

조리시간 40분
8개분

★ 오븐 170℃(미니오븐 160℃)

☐ 박력분 100g(1컵)
☐ 베이킹파우더 1/4작은술
☐ 건크랜베리 30g(3큰술)
☐ 달걀 1개
☐ 실온에 둔 부드러운 버터
　 60g(6큰술)
☐ 소금 약간
☐ 설탕 80g(8큰술)
☐ 우유 60ml(약 1/4컵)

박력분과 베이킹파우더는
함께 체에 내려 골고루 섞는다.
크랜베리는 잘게 다진다. 작은
볼에 달걀을 잘 풀어 달걀물을
만든다.

다른 큰 볼에 버터와 소금을
넣고 설탕을 3~4회에 나눠
넣으면서 설탕이 녹을 때까지
거품기로 잘 섞는다.
오븐은 170℃(미니오븐
160℃)로 예열한다.

②에 달걀물을 조금씩
넣으면서 거품기로 잘 섞은
후 우유의 1/2분량을 조금씩
넣으면서 골고루 섞는다.

③에 ①의 가루를 넣고 주걱으로
자르듯이 골고루 섞는다.

④에 나머지 우유와
크랜베리를 넣고 주걱으로
잘 섞어 반죽한다.

머핀 틀에 유산지를 깔고 ⑤의
반죽을 2/3정도까지 채운 후
오븐의 가운데 칸에서 20분간
굽는다. ★ 숟가락으로 반죽을
떠서 넣으면 간편하다.
오븐에 따라 익는 시간이
다르므로 이쑤시개를 찔러
반죽이 익었는지 확인한다.

• **크린베리는 유기농 제품을**
　사용하는 것이 좋아요.
　일반 크랜베리는 설탕이나
　크랜베리 농축액을 다량
　함유하고 있어 달기만 하고
　건강에는 좋지 않아요.
　반면, 유기농 크랜베리에는
　크랜베리가 92%, 설탕이
　8% 정도의 적절한 비율로
　들어 있어 영양적인 면이나
　맛에서 더 좋답니다.

마더스고양이의
홈메이드 레시피

아무리 안전하고 좋은 재료로 만들었다고 해도
사먹는 음식보다 엄마 손으로 직접 정성 들여 만든 것이
훨씬 깨끗하고 몸에도 좋답니다. 조금 번거롭고 힘들더라도
마더스고양이의 홈메이드 레시피로
아이는 물론 온 가족 건강을 챙겨보세요.
시판 가공식품을 대신할 수제소시지와 어묵,
재료 본연의 맛을 그대로 살린 다양한 소스와 콤포트,
솜씨 없는 엄마도 5분이면 완성할 수 있는 초간단 아침식사,
가족이 아플 때 천연 재료로 손쉽게 만들어 먹는 건강차 등
아이가 있는 집에 딱 필요한 레시피를 제안합니다.

닭고기 수제소시지

수제소시지

수제소시지

조리시간 30분
(+ 고기 숙성시키기 30분)
약 10개분

- ☐ 다진 쇠고기 150g
- ☐ 다진 돼지고기 150g
- ☐ 양파 40g(약 1/5개)
- ☐ 녹말가루 2큰술
- ☐ 소금 1/2작은술
- ☐ 생강가루(또는 생강즙) 약간
  (생략 가능)
- ☐ 다진 마늘 1작은술
- ☐ 청주 1/2작은술
- ☐ 우유 1/2작은술
- ☐ 후춧가루 약간
- ☐ 포도씨유 1큰술(소시지 굽기용)

양파는 곱게 다진다. 볼에
포도씨유를 제외한 나머지
재료를 모두 넣고 30분 이상
치대어 찰기가 생기게 한다.
냉장고에서 30분간 숙성시킨다.

①의 반죽을 10등분해 지름
3cm, 길이 8cm 크기로 만든
후 종이 포일로 잘 싸서
사탕모양으로 포장한다.

김이 오른 찜기에 ②의
소시지를 넣고 7분간 찐 후
꺼내 종이 포일을 벗겨내고
한김 식힌다. ★ 소시지의
두께에 따라 시간을 조절한다.
넉넉하게 만들어 냉동 보관해도
좋다.

달군 팬에 포도씨유를 두르고
소시지를 올려 중약 불에서
겉면이 노릇해질 때까지
2~3분간 굴려가며 굽는다.

닭고기 수제소시지

조리시간 30분
(+ 고기 숙성시키기 30분)
약 10개분

- ☐ 닭가슴살 300g
- ☐ 양파 30g(약 1/7개)
- ☐ 녹말가루 3큰술
- ☐ 소금 1/2작은술
- ☐ 카레가루 약간
- ☐ 생강가루(또는 다진 생강) 약간
  (생략 가능)
- ☐ 다진 마늘 1작은술
- ☐ 청주 1작은술
- ☐ 포도씨유 1큰술(소시지 굽기용)

양파와 닭가슴살은 곱게
다진다.

볼에 포도씨유를 제외한
나머지 재료를 모두 넣고 30분
이상 치대어 찰기가 생기게
한다. 냉장고에서 30분간
숙성시킨다. ★ 나머지 과정은
수제소시지의 ②~④번과
동일하다.

초간단 새우어묵

조리시간 35분
2~3인분

□ 냉동 생새우살(킹사이즈)
　350g(23~24마리)
□ 양파 50g(1/4개)
□ 대파(흰 부분) 10cm
□ 포도씨유 적당량

새우살 밑간
□ 청주 1큰술
□ 소금 1/3작은술
□ 후춧가루 약간

- **튀김 기름의 온도를
  측정하려면 튀김옷을 약간
  떨어뜨려 보세요.**
  튀김 기름의 온도가
  알맞게 예열되었는지
  여부는 튀김옷을 넣었을 때
  떠오르는 속도로 판단할
  수 있어요. 150℃에서는
  튀김옷이 가라앉았다가
  천천히 튀어오른답니다.
  혹 튀김옷을 넣자마자 바로
  튀어오르면 온도가 너무
  높은 것이니 불을
  줄여 온도를 낮춘 후
  튀기세요.

새우살은 소금물(물 3컵 + 소금
1/2작은술)에 담가 반쯤 해동한
후 3등분한다. 밑간에 버무려
10분간 재운다.

양파는 8등분하고 대파는
굵게 썬다.

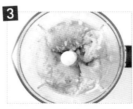

믹서에 새우살, 양파, 대파를
넣고 1분간 간다. 중간에
한 번 뒤섞은 후 크림 상태가
될 때까지 곱게 간다.

팬에 포도씨유를 붓고
센 불로 달궈 150℃로 예열한다.
③의 반죽을 1큰술씩 떠 넣고
중간중간 뒤집으며 중약 불에서
3분간 튀긴다. 키친타월 위에
올려 기름기를 제거한다.

토마토케첩

재료 160ml분 토마토 700g(5개), 월계수잎 2장, 정향 2개, 식초 2큰술, 아가베시럽(또는 설탕) 5큰술, 소금 1/2작은술, 계핏가루·넛맥가루 약간

1 토마토는 깨끗이 씻어 열십(+)자로 칼집을 낸 후 끓는 물에 넣고 15초간 살짝 데쳐 껍질을 벗긴다.

2 껍질을 벗긴 토마토는 꼭지를 떼고 8등분해 믹서기에 넣고 간다.

3 ②의 토마토를 체에 밭쳐 씨를 걸러낸다.

4 냄비에 ③의 토마토와 나머지 재료를 모두 넣고 중간 불에서 농도가 되직해질 때까지 30분간 끓인다. ★ 끓이는 중간에 한번씩 저어준다. 냄비의 크기나 두께에 따라 시간을 조절한다.

마요네즈

재료 300ml분 두유 100ml(1/2컵), 레몬즙 1큰술, 포도씨유 1컵

1 믹서에 두유를 넣고 포도씨유를 조금씩 넣어가며 간다.

2 ①에 레몬즙을 넣고 한 번 더 갈아 농도를 되직하게 만든다.

땅콩버터

재료 150g분 볶은 땅콩(껍질 제거한 것) 130g(1컵), 아가베시럽(또는 설탕, 꿀) 2큰술, 소금 1/4작은술, 포도씨유 2와 1/2큰술

1 믹서에 볶은 땅콩을 넣고 곱게 간다. ★ 기호에 따라 땅콩의 굵기를 조절한다. 볶은 땅콩 만들기 239쪽 참고.

2 ①에 나머지 재료를 넣고 간다.

토마토케첩

땅콩버터

마요네즈

허니 머스터드소스

재료 1회분 머스터드 1큰술, 마요네즈 2/3큰술,
꿀 1/2큰술, 식초 1작은술

1 모든 재료를 골고루 섞는다.

Tip 이 레시피의 양은 한 번 먹을 분량이므로 넉넉히
만들고 싶다면 재료 분량을 비율대로 늘리면 됩니다.

토마토소스

재료 약 800ml분 시판용 토마토 페이스트 340g(1캔),
토마토 170g(1개), 양파 200g(1개), 다진 마늘 1큰술,
올리브잎 4장, 양조간장 2큰술, 아가베시럽(또는 설탕)
3큰술, 오레가노가루 1/4작은술, 물 200ml(1컵),
소금 약간, 올리브유 1큰술

1 양파는 잘게 다진다.

2 토마토는 씻어 열십(+)자로 칼집을 낸 후
끓는 물에 넣고 15초간 데친다. 껍질을 벗긴 후
꼭지를 떼고 다진다.

3 달군 팬에 올리브유를 두르고 양파, 다진 마늘을
넣어 중간 불에서 7분간 볶는다.

4 ③에 토마토 페이스트와 ②의 토마토를 넣고
3분간 더 볶는다.

5 ④에 올리브잎, 양조간장, 아가베시럽,
오레가노가루, 물을 넣고 12분간 저어가며
끓인 후 소금으로 간을 한다.

Tip 토마토소스는 피자 소스나 해산물
스파게티의 소스로 활용할 수 있어요.

데리야끼소스

재료 350ml분 양파 30g(1/8개), 대파 10cm, 마늘
30g(3쪽), 통후추 10알(1/2작은술), 양조간장 3/4컵, 물
300ml(1과 1/2컵), 청주 1/4컵, 아가베시럽(또는 조청) 1/4컵,
설탕 1/2컵, 청양고추(또는 마른 고추) 1개(생략 가능)

1 냄비에 모든 재료를 넣고 센 불에서 끓인다.

2 끓어오르면 중간 불로 줄여 15분간 끓인 후 체에
받쳐 국물만 거른다. 밀폐 용기에 담아 보관한다.

Tip 오래 두고 먹으려면 한번씩 끓여 식힌 후
보관하세요.

모든 소스는 밀폐 용기에 담아
냉장 보관하고,
보관 기간은 10일입니다.
토마토소스는 냉동 보관도 가능합니다.

허니 머스터드소스

데리야끼소스

토마토소스

콤포트 · 팥소

딸기콤포트

재료 1회분 딸기(또는 냉동 딸기) 100g(5개), 설탕 1큰술,
아가베시럽(또는 꿀) 2큰술, 레몬즙 1작은술(생략 가능)

1 작은 팬에 작게 썬 딸기와 설탕을 넣고 잘 버무려
　20분간 재운 후 중간 불에서 설탕이 녹을 때까지
　끓인다.
2 끓어오르면 아가베시럽과 레몬즙을 넣고 약한
　불로 줄여 주걱으로 저어가며 6~7분간 더 끓인다.

블루베리콤포트

재료 1회분 냉동 블루베리 100g(5/6컵), 설탕 1큰술,
아가베시럽(또는 꿀) 2큰술, 레몬즙 1작은술(생략 가능)

1 작은 팬에 블루베리와 설탕을 넣고 잘 버무려
　20분간 재운 후 중간 불에서 설탕이 녹을 때까지
　끓인다.
2 끓어오르면 아가베시럽과 레몬즙을 넣고 약한
　불로 줄여 주걱으로 저어가며 4~5분간 더 끓인다.

망고콤포트

재료 1회분 냉동 망고 150g(5~6개), 설탕 1큰술,
아가베시럽(또는 꿀) 2큰술, 레몬즙 1작은술(생략 가능)

1 작은 팬에 작게 썬 망고와 설탕을 넣고 잘 버무려
　20~30분간 재운 후 중간 불에서 설탕이 녹을
　때까지 끓인다.
2 끓어오르면 아가베시럽과 레몬즙을 넣고 약한
　불로 줄여 주걱으로 저어가며 5분간 더 끓인다.

팥소

재료 팥 160g(1컵), 설탕 2큰술, 소금 1/2작은술

1 압력밥솥에 팥과 물(1과 1/2컵)을 넣고 뚜껑을
　열어 센 불에서 끓어오르면 불을 끈 후 체에 밭쳐
　팥을 건져낸다. ★ 팥을 끓인 물은 버린다.
2 압력밥솥에 팥과 물(4컵)을 넣고 뚜껑을 덮어
　센 불에서 끓인다. 끓어올라 추가 흔들리면 가장
　약한 불로 줄여 30분간 끓인다.
3 ②의 압력밥솥의 뚜껑을 연 채 설탕, 소금을 넣고
　주걱으로 으깨가며 중간 불에서 3분간 볶는다.
　★ 원하는 농도에 맞춰 볶는 시간을 조절한다.

망고콤포트

모든 콤포트류와 팥소는
밀폐 용기에 담아
냉장 또는 냉동 보관하세요.
콤포트류는 오래 두고 먹으려면 한번씩
끓여 식힌 후 보관하세요.

블루베리콤포트　　　딸기콤포트　　　　　팥소

김구이

재료 2~3인분 김 10장, 소금 약간, 참기름 3/4큰술

1 김 2장에 한 번씩 솔을 이용해 참기름을 펴 바른다.
  오븐은 160℃(미니오븐 150℃)로 예열한다.

2 ①의 김 1장마다 소금을 조금씩 뿌린 후
  켜켜이 쌓아 참기름이 김에 서로 잘 묻도록
  손으로 꾹꾹 누른다.

3 ②의 김을 오븐팬에 올린 후 오븐의 아랫칸에서
  6분간 굽는다.

  Tip 오븐이 없는 경우에는 2~3장씩
  겹친 김을 석쇠 위에 올려 약한 불에서
  타지 않도록 앞뒤로 고르게 구워주세요.

김구이

김구이

파래자반

재료 2~3인분 파래 50g(1/2컵), 참기름 1큰술, 포도씨유
1큰술, 설탕 1작은술, 소금 1/3작은술, 통깨 1작은술

1 파래는 위생팩에 넣어 잘게 부순다.

2 깊이가 있는 팬을 달군 후 참기름과 포도씨유를
  두르고 파래를 넣어 약한 불에서 10분간 볶는다.
  ★ 파래에 기름이 골고루 스며들도록 볶는다.

3 ②의 팬에 설탕, 소금, 통깨를 뿌려 한 번 버무린 후
  불을 끈다.

  Tip 파래자반은 센 불에서 볶으면 타기 쉽고
  쓴맛이 나기 때문에 약한 불에서 천천히 볶아야
  해요. 참기름 대신 들기름을 사용해도 되지만,
  들기름은 산화가 빨리 되고 높은 열에 영양소가 쉽게
  파괴되므로 들기름으로 만들었다면 가급적 빨리
  드세요.

파래자반

프렌치토스트

재료 2~3인분 식빵 4장, 달걀 2개, 우유 100ml(1/2컵)
생크림 50ml(1/4컵), 설탕 1큰술, 소금 약간, 버터
20g(2큰술), 포도씨유 4작은술

1 넓은 볼에 달걀, 우유, 생크림, 설탕, 소금을 넣고
   잘 섞는다.
2 ①에 식빵을 넣고 달걀물이 골고루 스며들도록
   앞뒤로 뒤집어가며 적신다.
3 달군 팬에 버터와 포도씨유를 두른다.
4 버터가 녹으면 ②의 식빵을 올려 중약 불에서
   앞뒤 각각 2분씩 노릇하게 굽는다. 기호에 따라
   과일콤포트나 시럽, 잼을 곁들인다.
   ★ 과일콤포트 만들기 310쪽 참고.

팬케이크

재료 2~3인분 박력분 100g(1컵), 베이킹파우더
4g(1작은술), 설탕 30g(2큰술), 소금 약간, 달걀 1개, 우유
100ml(1/2컵), 포도씨유 약간

1 박력분과 베이킹파우더는 함께 체에 내린다.
2 볼에 달걀, 우유, 설탕, 소금을 넣고 잘 섞는다.
3 ②에 ①의 가루를 넣고 주걱으로 잘 섞는다.
   ★ 반죽을 너무 많이 섞으면 글루텐이 형성되어
   질겨진다.
4 달군 팬에 포도씨유를 두르고 키친타월로 살짝
   닦아낸 후 ③의 반죽을 1국자 떠 넣는다.
5 ④의 반죽을 약한 불에서 1분 30초간 굽다가
   윗면에 구멍이 생기기 시작하면 뒤집어 1분간
   더 굽는다. 기호에 따라 과일콤포트나 시럽을
   곁들인다. ★ 과일콤포트 만들기 310쪽 참고.

   Tip 시판용 팬케이크가루는 식품첨가물이 많이
   들어 있기 때문에 집에서 직접 만들어 먹는 것이
   좋아요. 박력분과 베이킹파우더, 설탕, 소금을
   미리 섞어두면 시판용 팬케이크가루처럼 사용할
   수 있어요.

치즈 스크램블에그

재료 1인분 달걀 2개, 체다 슬라이스치즈 1장, 양파 20g(1/10개), 우유 1큰술, 소금 약간, 후춧가루 약간, 포도씨유 1/2큰술, 방울토마토(또는 키위, 사과 등) 4개

1 양파와 슬라이스치즈는 잘게 다진다.

2 볼에 달걀, 슬라이스치즈, 우유, 소금, 후춧가루를 넣고 잘 섞는다.

3 달군 팬에 포도씨유를 두르고 양파를 넣어 중간 불에서 1분 30초간 볶는다.

4 ③에 ②의 달걀물을 붓고 2분간 젓가락으로 저어가며 익힌다.

5 접시에 ④의 치즈 스크램블에그를 담고 방울토마토(또는 과일)를 곁들인다.

Tip 구운 식빵 위에 올린 후 기호에 따라 토마토케첩을 뿌려 먹어도 맛있어요.

달걀비빔밥

재료 1인분 밥 약 130~140g(2/3공기), 달걀 1개, 양조간장 1/2작은술, 참기름 1/3작은술, 깨소금 약간, 포도씨유 1작은술

1 달군 팬에 포도씨유를 두르고 달걀을 넣어 중약 불에서 뚜껑을 덮은 채 2분간 반숙으로 익힌다.

2 그릇에 밥을 담고 ①의 달걀 프라이를 올린다.

3 ②에 양조간장, 참기름, 깨소금을 넣고 골고루 비벼 먹는다.

Tip 바쁜 아침이나 밥 하기 귀찮을 때 초간단으로 만들 수 있는 달걀비빔밥이에요. 김이나 김치, 후리가케 등을 곁들이면 더욱 맛있답니다.

감기에 좋은 오미자액기스

재료 생오미자열매 1kg, 아가베시럽(또는 설탕) 1kg
(약 6컵)

1 오미자는 찬물로 씻어 체에 밭쳐 물기를 뺀 후
면보나 키친타월로 표면의 불순물을 닦는다.

2 오미자의 불필요한 줄기를 제거한 후 볼에
아가베시럽(6컵)과 함께 넣고 잘 섞는다.

3 **[1차 숙성]** ②의 오미자를 유리병에 담아
냉장고에서 4~5개월 정도 숙성시킨 후 꺼낸다.
오미자 과육과 과즙을 분리한다. ★ 과즙은 냉장
보관하며 먹는다.

4 **[2차 숙성]** 유리병에 ③의 오미자 과육을 다시
넣고 아가베시럽(5컵)을 붓는다. 냉장고에서
4개월 정도 숙성시킨 후 냉장 보관하며 먹는다.
★ 설탕으로 절일 경우 1차 숙성 과정까지만 가능.

Tip 설탕에 절일 때는 중간에 한번씩 설탕이
잘 녹도록 저어가며 3개월 정도 서늘한 곳에서
보관한 후 과즙과 과육을 분리한다.

감기, 배앓이에 좋은 매실액기스

재료 매실 1kg, 설탕 1kg(약 6컵)

1 매실은 깨끗이 씻어 물기를 완전히 제거한다.

2 유리병에 매실과 설탕 분량의 80% 정도를
담는다.

3 ②의 매실 위에 나머지 설탕을 뚜껑처럼 덮이게
뿌린 후 잘 밀봉한다.

4 ③을 어둡고 서늘한 곳에서 100일간 숙성시킨 후
매실과 매실액을 분리한다. 매실액은 유리병에
담아 냉장 보관하며 먹는다. ★ 숙성 중간에
설탕이 잘 녹도록 한번씩 저어준다.

Tip 처음부터 매실 씨와 과육을 분리한
후 매실액기스를 담가 과육만 걸러내면
매실장아찌가 됩니다.

감기에 좋은 유자청

재료 유자 1kg(8개), 아가베시럽(또는 설탕) 520g(약 3컵)

1 유자는 베이킹소다(또는 식초)로 껍질을 깨끗이
씻은 후 물기를 제거한다. 반으로 썰어 씨를
제거한다.

2 유자는 과육을 파내고, 껍질에 붙어 있는 흰색의
속 부분을 숟가락으로 긁어내 버린다.

3 ②의 유자껍질은 가늘게 채 썬다.

4 볼에 유자 껍질과 과육, 아가베시럽을 넣고 잘
섞는다. 유리병에 담아 냉장고에서 20일간
숙성시킨 후 냉장 보관하며 먹는다.
★ 설탕으로 담근 경우 서늘한 곳에서 숙성시킨다.

오미자액기스   매실액기스

유자청

감기, 숙취에 좋은 콩나물꿀차

재료 약 200ml분 콩나물 250g(1봉지), 꿀 150ml(3/4컵)

1 콩나물은 머리의 껍질을 제거하고 깨끗이 씻어 체에 밭쳐 물기를 뺀다.

2 바닥이 두꺼운 냄비에 콩나물과 꿀을 넣고 뚜껑을 덮어 가장 약한 불에서 30분간 끓인다.

3 콩나물이 꼬들꼬들하게 익으면 체에 밭쳐 콩나물을 건지고 즙만 거른다.
★ 남은 콩나물은 버린다.

4 즙은 유리병에 담아 냉장 보관하며 1큰술씩 먹거나 물에 희석해서 마신다.

Tip 바닥이 두꺼운 냄비가 없다면 압력밥솥에 넣고 뚜껑을 반 정도 걸친 채 끓이면 됩니다.

기관지, 기침 감기에 좋은 도라지배주스

재료 400ml분 배 160g(1개), 말린 도라지 20g, 물 1L(5컵)

1 냄비에 모든 재료를 넣고 뚜껑을 덮어 센 불에서 끓어오르면 약한 불로 줄여 1시간 동안 끓인다.

2 끓인 주스는 체에 밭쳐 건지를 걸러내고 차만 유리병에 담아 냉장 보관하며 마신다.

감기, 배탈에 좋은 대추차

재료 약 450ml분 대추 80g(약 28개), 찹쌀 1/2큰술, 물 1L(5컵), 꿀 약간, 다진 땅콩 약간(고명용)

1 대추는 안 쓰는 칫솔을 이용해 주름 사이를 깨끗이 씻은 후 체에 밭쳐 물기를 뺀다.

2 냄비에 물(5컵)을 붓고 대추와 찹쌀을 넣어 센 불에서 끓어오르면 약한 불로 줄여 1시간 동안 끓인다.

3 ②를 체에 걸러 대춧물을 거른다. 체에 남겨진 대추에 대춧물을 조금씩 부어가며 숟가락으로 으깨 과육을 거른다.

4 ②의 냄비를 씻은 후 ③의 대추 과육과 대춧물을 넣고 한소끔 끓인다.

5 ④를 컵에 붓고 기호에 따라 꿀을 넣어 단맛을 조절한 후 다진 땅콩을 올린다.

Tip 대추 과육을 체에 내려 만들었기 때문에 맛이 진합니다. 찹쌀을 넣으면 대추차의 맛이 더욱 진해지는데요, 너무 많이 넣으면 텁텁한 맛이 나므로 정량을 지키세요. 다진 땅콩 대신 채썬 대추나 잣을 고명으로 올려도 맛있습니다.

도라지배주스   대추차   콩나물꿀차

plus info

냉동실에 저장해두는 비상식량

육류 쇠고기, 닭고기, 돼지고기 등의 육류는 평소 사용하는 양만큼 나눠 랩으로 감싼 후 지퍼백에 넣어 보관한다. 해동할 때는 먹기 전날 냉장실로 옮겨 천천히 해동하면 육즙이 빠지지 않는다. 시간이 없는 경우 전자레인지(700W)에서 해동하거나 실온에서 자연 해동한다.

생선 생선류는 내장을 제거하고 먹기 좋게 손질한 후 종이 포일로 1토막씩 싸서 지퍼백에 넣어 보관한다. 실온에서 해동한 후 종이 포일 채로 팬에 올리거나 오븐에 넣어 구우면 타지도 않고 깨끗하게 구울 수 있다.

해물 오징어와 낙지는 내장을 제거하고 먹기 좋게 손질한 후 1마리씩 위생팩에 펼쳐 넣고 지퍼백에 담아 냉동 보관한다. 해동할 때는 위생팩 채 물에 담가두면 금방 녹는다. 오징어, 새우, 조개 등을 다져서 지퍼백에 평평하게 넣어 얼리면 볶음밥이나 전 등을 만들 때 필요한 만큼 덜어 사용할 수 있어 편하다.

과일 과일은 값이 저렴할 때 넉넉하게 사다가 냉동 보관하면 사계절 내내 유용하게 쓰인다. 바나나는 껍질을 벗겨 랩에 싸거나 지퍼백에 넣어 보관한다. 딸기는 깨끗하게 씻어 꼭지를 제거한 후 지퍼백에 서로 달라 붙지 않게 펼쳐 넣고 보관한다. 실온에서 살짝 해동한 뒤 우유와 함께 믹서에 갈면 주스를 만들 수 있다.

다진 채소 감자, 당근, 브로콜리, 양파 등의 채소는 작게 다져 살짝 익힌 후 완전히 식혀 지퍼백에 펼쳐 넣고 보관한다. 별다른 해동 없이 실온에서 살짝 녹여 바로 요리에 넣어도 된다. 찌개나 카레, 반찬을 만들 때 유용하게 쓰인다.

대파·고추 깨끗이 씻은 후 어슷 썰거나 송송 썰어 지퍼백이나 밀폐 용기에 담아 보관한다. 하나씩 잘 떨어지니 요리에 넣기 직전 꺼내 냉동된 상태로 바로 사용한다. 실온에 두면 금세 녹아 물러지고 색도 변하니 주의한다.

마늘 다진 후 지퍼백에 얇고 평평하게 펼쳐 넣고 보관한다. 필요한 양만큼 꺼내 해동한 후 밀폐 용기에 넣어 냉장 보관하거나 요리에 넣기 직전 필요한 만큼 잘라 냉동된 상태로 바로 사용한다.

홈메이드 냉동식품 돈가스 종류나 햄버거스테이크는
종이 포일을 깐 쟁반에 1장씩 올려 놓고 서로 달라 붙지 않게 사이사이
종이 포일을 깔아 얼린다. 동그랑땡은 구워 한김 식힌 후 종이 포일을
깐 쟁반에 서로 달라 붙지 않게 간격을 두고 올려 얼린다. 완전히 얼면
지퍼백에 옮겨 담아 부피를 줄인다. 실온에서 살짝 해동하거나 기름을
두른 팬에 냉동 상태 그대로 넣어 약한 불에서 조리한다. 크로켓은
속만 만들어 랩으로 싸서 보관한다. 냉동된 상태에서 밀가루, 달걀물,
빵가루를 입혀 바로 튀겨 먹는다.

볶음밥 완전히 식힌 후
한끼 분량씩 지퍼백에 펼쳐
넣고 보관한다. 지퍼백에서
꺼내 전자레인지(700W)에서
해동하거나 실온에서 살짝
해동한 후 팬에 넣어 볶는다.

불고기·소고기볶음·
미트소스·카레
완전히 식힌 후 한끼 분량씩
지퍼백에 펼쳐 넣고 보관한다.
요리에 넣기 전에 실온에서
살짝 해동한 후 팬에 넣어
조리한다. 시간이 없는 경우
전자레인지(700W)로 살짝
해동한 후 바로 조리한다.

갈비탕 완전히 식힌 후 한끼
분량씩 고기와 함께 밀폐 용기에
담아 보관한다. 밀폐 용기는
윗면과 아랫면의 크기가 같거나
윗면이 더 넓은 것으로 선택해야
바로 꺼내 냄비에 넣고 끓일 수
있다.

곰국 완전히 식힌 후 한끼
분량씩 고기와 함께 지퍼백에
담아 보관한다. 완전히 얼면
플라스틱 상자에 세워서
보관해도 좋다. 별다른 해동
없이 지퍼백만 제거한 후
냄비에 넣어 바로 끓여 먹는다.
얇은 위생팩에 넣으면 비닐이
곰탕 사이에 낀 채로 얼어 바로
녹여 먹기가 힘드니 도톰한
지퍼백을 쓰자.

INDEX

가나다순

ㄱ

가리비찜 142
가쓰오부시우동 186
가츠동 160
간장떡볶이 284
간장비빔국수 183
갈비탕 96
갈치구이 125
갈치조림 130
감자채볶음 24
감자샐러드 샌드위치 268
감자크로켓 286
건과일쿠키 295
건새우배춧국 76
견과류볶음 204
경단 208
고구마김치구이 218
고구마맛탕 206
고구마샐러드 샌드위치 272
고등어구이 125
고등어 김치조림 132
과일컵 278
굴국 84
김구이 311
김치볶음 30
깍두기 66
깐쇼새우 138
깻잎장아찌 68
깻잎찜 32
꼬치미니김밥 259
꼬치주먹밥 264

ㄴ

누룽지과자 206

ㄷ

단팥 아이스바 244
단호박샐러드 샌드위치 272
단호박호두전 220
달걀볶음밥 156
달걀비빔밥 313
달걀탕 88
닭갈비 104
닭강정 112
닭고기 수제소시지 305
닭꼬치 222
닭날개 양념구이 108

닭봉구이 282
닭봉찜닭 102
닭안심 머스터드구이 106
닭안심 핑거치킨 110
닭죽 169
대추차 315
도라지배주스 315
돈가스 164
동그랑땡 56
돼지고기 간장구이 116
돼지고기 과일탕수육 122
돼지고기수육 118
돼지고기 채소볶음 120
돼지불고기덮밥 150
된장국 74
두부구이 44
두부깨 그리시니 234
두부조림 44
딸기스무디 250
딸기아이스크림 244
딸기콩포트 310
땅콩쿠키 295
떡국 172
떡꼬치 282
또띠야피자 280

ㄹ

레몬에이드 252

ㅁ

마늘빵 229
마늘종장아찌 68
망고스무디 250
망고콩포트 310
매실액기스 314
메추리알조림 40
멸치볶음 30
명란젓파스타 198
모양쿠키 298
무나물 26
무밥 146
미나리전 50
미니버거 275
미숫가루 견과류쉐이크 248
미숫가루 아이스바 244
미트소스파스타 196

ㅂ

바나나쉐이크 248
바나나 컵케이크 300

배추김치 63
배추전 58
백김치 63
벨기에와플 232
볶음우동 188
불고기 100
불고기베이크 226
블루베리스무디 250
블루베리에이드 252
블루베리콩포트 310
비빔국수 178
비빔밥 148

ㅅ

사골곰국 93
새우가스 166
새우마요네즈 136
새우어묵 307
새우케첩볶음 140
새우크림소스파스타 193
생선가스 162
생일케이크 292
쇠고기 고추장볶음 46
쇠고기 메추리알조림 40
쇠고기무국 90
쇠고기미역국 72
쇠고기볶음 46
쇠고기볶음덮밥 152
쇠고기육전 60
쇠고기장조림 38
쇠고기찹쌀전 60
쇠고기채소덮밥 152
쇠고기탕국 90
수수팥떡 289
수제소시지 305
스크램블에그 샌드위치 266
시금치나물 28
시리얼바 236
식빵스틱 229
식빵치즈말이 278

ㅇ

알감자버터구이 216
애느타리버섯전 52
애호박볶음 24
애호박전 48
야채참치 34
양파장아찌 68
오렌지에이드 252

오므라이스 154
오미자액기스 314
오이무침 22
오징어국 80
오징어조림 134
온면 175
우엉조림 36
우유빙수 246
웨지감자 214
유부초밥 256
유자청 314

ㅈ

잔치국수 180
전복볶음 142
조개국 82

ㅊ

참치스프레드 샌드위치 270
찹쌀부꾸미 208
치즈 스크램블에그 312
치킨너겟 224

ㅋ

카레 158
카레삼치구이 128
케이크초밥 262
콘샐러드 202
콩나물국 72
콩나물꿀차 315
콩나물무침 22
콩비지찌개 86
콩자반 42
크랜베리 컵케이크 302
키위슬러시 250

ㅍ

파래자반 311
파인애플에이드 252
팥소 310
팬케이크 312
포테이토스킨 211
폭찹 114
프렌치토스트 312

ㅎ

해물잡채 190
햄버거스테이크 275
호두 두부스테이크 54
호두강정 204
호두우유 246
황태국 78

주재료순

쌀 및 떡
떡국 172
간장떡볶이 284
경단 208
찹쌀부꾸미 208
떡꼬치 282
수수팥떡 289
비빔밥 148
오므라이스 154
카레 158
누룽지과자 206
유부초밥 256
꼬치미니김밥 259
케이크초밥 262
꼬치주먹밥 264

감자, 고구마 및 옥수수
감자채볶음 24
포테이토스킨 211
웨지감자 214
알감자버터구이 216
감자샐러드 샌드위치 268
감자크로켓 286
고구마맛탕 206
고구마김치구이 218
고구마샐러드 샌드위치 272
콘샐러드 202

면
온면 175
비빔국수 178
잔치국수 180
간장비빔국수 183
가쓰오부시우동 186
볶음우동 188
새우크림소스파스타 193
미트소스파스타 196
명란젓파스타 198

고기
닭봉찜닭 102
닭갈비 104
닭안심 머스터드구이 106
닭날개 양념구이 108
닭안심 핑거치킨 110
닭강정 112
닭죽 169

닭꼬치 222
치킨너겟 224
닭봉구이 282
닭고기 수제소시지 305
폭찹 114
돼지고기 간장구이 116
돼지고기수육 118
돼지고기 채소볶음 120
돼지고기 과일탕수육 122
돼지불고기덮밥 150
가츠동 160
돈가스 164
동그랑땡 56
햄버거스테이크 275
미니버거 275
쇠고기장조림 38
쇠고기 메추리알조림 40
쇠고기 고추장볶음 46
쇠고기볶음 46
쇠고기육전 60
쇠고기찹쌀전 60
쇠고기미역국 72
쇠고기무국 90
쇠고기탕국 90
사골곰국 93
갈비탕 96
불고기 100
쇠고기볶음덮밥 152
쇠고기채소덮밥 152
불고기베이크 226
수제소시지 305

생선 및 해물, 해초
갈치구이 125
갈치조림 130
고등어구이 125
고등어 김치조림 132
카레삼치구이 128
생선가스 162
새우마요네즈 136
깐쇼새우 138
새우케첩볶음 140
새우가스 166
새우어묵 307
오징어국 80
오징어조림 134
해물잡채 190
가리비찜 142

전복볶음 142
황태국 78
조개국 82
굴국 84
멸치볶음 30
김구이 311
파래자반 311

알 및 콩, 두부
달걀탕 88
달걀볶음밥 156
달걀비빔밥 313
스크램블에그 샌드위치 266
치즈 스크램블에그 312
메추리알조림 40
콩자반 42
콩비지찌개 86
두부구이 44
두부조림 44
호두 두부스테이크 54
두부깨 그리시니 234

채소
깻잎찜 32
깻잎장아찌 68
된장국 74
단호박호두전 220
단호박샐러드 샌드위치 272
마늘종장아찌 68
무나물 26
깍두기 66
무밥 146
미나리전 50
김치볶음 30
배추전 58
배추김치 63
백김치 63
건새우배춧국 76
시금치나물 28
애느타리버섯전 52
애호박볶음 24
애호박전 48
야채참치 34
양파장아찌 68
오이무침 22
우엉조림 36
콩나물무침 22
콩나물국 72

콩나물꿀차 315

과일
건과일쿠키 295
과일컵 278
딸기아이스크림 244
딸기스무디 250
딸기콤포트 310
레몬에이드 252
오렌지에이드 252
유자청 314
바나나쉐이크 248
바나나 컵케이크 300
키위슬러시 250
파인애플에이드 252
블루베리스무디 250
블루베리에이드 252
블루베리콤포트 310
크랜베리 컵케이크 302
망고스무디 250
망고콤포트 310
매실액기스 314
오미자액기스 314
도라지배주스 314
대추차 315

견과 및 우유
미숫가루 아이스바 244
미숫가루 견과류쉐이크 248
견과류볶음 204
시리얼바 236
호두강정 204
호두우유 246
땅콩쿠키 295
단팥 아이스바 244
우유빙수 246

빵 및 디저트
식빵스틱 229
식빵치즈말이 278
참치스프레드 샌드위치 270
프렌치토스트 312
마늘빵 229
또띠아피자 280
벨기에와플 232
팬케이크 312
모양쿠키 298
생일케이크 292
팥소 310

아이가 있는 집에
딱좋은 가족밥상

2~11세

1판 1쇄 펴낸 날 2012년 3월 30일

편집장 박성주
진행 및 편집 김세희
레시피 검증 정민(어시스턴트 배환희, 이재은)
사진 신채영
스타일링 최새롬(어시스턴트 남승주, 오보란)
디자인 원유경

펴낸이 조준일
펴낸곳 ㈜레시피팩토리
주소 서울시 광진구 자양3동 227-7 더샵스타시티 B-1401, 1205
독자센터 1544-7051
팩스 02-534-7019
홈페이지, 카페 www.super-recipe.co.kr, cafe.naver.com/superecipe
출판신고 2009년 1월 28일 제25100-2009-000038호

제작·인쇄 ㈜대한프린테크

값 13,800원

ISBN 978-89-963472-5-5

Special Thanks

마더스몰(www.mother-s.co.kr) / 베스트오가닉 히말라야 키즈솔트 & 빌링톤 설탕(www.bestorganic.co.kr)
자연에서 온 종이호일(www.ims21.biz) / 네쿠틀리 아가베(www.agaves.co.kr) / 단올(www.danall.co.kr)
로벤타(www.rowenta.co.kr) / 모네타(www.monetait.com) / 벤타 보네이도(www.vornado.co.kr) / 비룡소(www.bir.co.kr)
스타베이커리(starbakery.co.kr) / 시공주니어(www.sigongsa.com) / 씨유토이(www.cutoy.co.kr)
아이드림보드(www.idreamboard.co.kr) / 아이푸드몰(www.ifoodmall.com) 에피큐리언(www.elcuizen.com)
올리타리아 포도씨유(www.olitalia.co.kr) / 테팔(www.tefal.co.kr) / 함소아(www.hamsoamall.co.kr)